D0903245

Entdecke die Welt der
RITTER

garant

Für die englische Originalausgabe
© Anness Publishing Limited, U.K., 1999
Originaltitel: DISCOVERY: CASTLES

Für die deutsche Ausgabe
© **garant** Verlag GmbH, Leonberg, 2007

Text von Barbara Taylor
Fachliche Beratung:
Brian Davison und William Klemperer
Ins Deutsche übersetzt von
Cornelia Panzacchi

Alle Rechte vorbehalten

ISBN 978-3-86766-105-8

BILDNACHWEIS:
AAA: 4ul, 8urm, 10ur, 12ul, 14ur,17ul,
24ul, 24ol, 30ul, 34ur, 39ul, 41ur, 45ul,
44ul, 59mr; AKG: 5ul, 4or, 11ur, 25ol,
26ul, 27or, 29or, 45or, 51ul, 51mr, 52ul,
60m, 20ol, 21ul; Bridgeman Art Library:
5or, 11or, 22um, 25u, 28mr, 28ul, 34or,
39or, 40or, 42ul, 45ol, 22um, 21ml, 21ur;
J. Allen Cash: 8ul, 8or, 61ur, 9ur;
Collections JSH: 57or; English Heritage:
11ol, 34ur, 54ul, 14om; ET Archive: 24ur,
43or, 17ol, or; Fine Art: 5ol, 58ul; Anne
Ronan bei Image Select: 3ur, 9or, 37or,
50ul; Japan Archive: 39ol, 60ol; Mary
Evans Picture Library: 10ul, 28ol, 29ur,
29mr, um, 35or, 38ul, 60or, 40ur, 41ol,
41ml, mr, 44ol, 44ur, 46um, 49om, ml, ur,
51ol, 54or, 21or, 18um, 16ol, ur; Michael
Holford: 2ul, 9or, 48ol, um, 59ur, 15ml;
National Trust: 35ol, 49ur, 54ur, 15or, ur,
14or; Royal Armouries: 45ur, 49ol, 59ul,
59or; Skyscan: 55m; Tony Stone Images:
9ul; Trip Photography: 36ul, 55ol, 14ul;
Warwick Castle: 59ol; Werner Forman
Archive: 17mr.

Inhalt

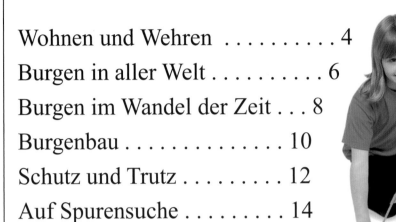

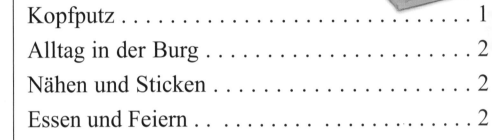

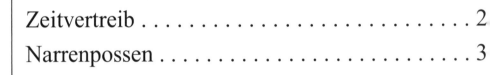

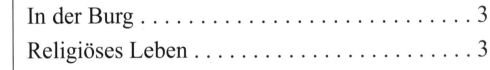

Wohnen und Wehren

Die mächtigen Mauern und Türme der Burgen beherrschten im Mittelalter die Landschaft. Sie waren schon von Weitem zu sehen und zeugten von der Macht und dem Reichtum ihrer Besitzer. Die Befestigungsanlagen schützten die Menschen, die in ihnen lebten: den Burggrafen mit seiner Familie, Adelsherren und ihre Familien, ihre Mägde und Knechte und die Handwerker, die für sie arbeiteten. Mancher König oder Fürst rief zudem seine treuen Ritter herbei, wenn es galt, sein Reich zu verteidigen. Die Burgen waren aber nicht nur beeindruckende Wohnstätten, sondern auch militärische Anlagen, von denen aus der Burggraf seinen Landbesitz rund um die Burg gegen Feinde verteidigte. Manche Burg musste monatelanger Belagerung standhalten. Die meisten Burgen entstanden zwischen dem 9. und dem 16. Jahrhundert. Zu dieser Zeit war in Europa, dem Nahen Osten und Teilen Asiens das meiste Land im Besitz einiger weniger reicher Adeliger, die fast ständig miteinander Krieg führten um Landbesitz und Vorherrschaft.

▲ REICHE FÜRSTEN

Ein vornehmer Fürst und seine Gemahlin unternehmen einen Ausritt und genießen den Ausblick auf ihre Burg. Die Ländereien, die sie vom König als Lehen erhalten haben, haben sie weiterverliehen. Der Bauer, der sich vor ihnen verbeugt, besitzt kein eigenes Land. Er gehört zur Herrschaft des Grundherrn, der ihm Schutz gewährt. Dafür muss er Frondienste leisten, das heißt, arbeiten und einen Teil der Ernte abgeben.

STRENGE ORDNUNG ▼

Der mächtigste Mann im Reich war der König. Die Fürsten waren seine Lehensherren oder Vasallen. Sie erhielten von ihrem König Land und Rechte, dafür mussten sie die Heerfolge leisten, das heißt, dem König im Krieg Truppen zur Verfügung stellen. Auch die Ritter kämpften in den Heeren des Königs. Die Bürger lebten in den Städten – aus heutiger Sicht kleine Dörfer. Die Bauern waren rechtlose Leibeigene, dabei waren sie in der Mehrheit.

— Bauern
— Bürger
— Ritter
— Fürsten
— König

◄ ZUM ANGRIFF!

Die hohen Türme und dicken Mauern der französischen Burg von Pontaudemer Areunoer wurden im 15. Jh. belagert. Die Angreifer kletterten Leitern hinauf, lieferten sich aber dabei schutzlos den Verteidigern aus, die sie beschossen oder die Leitern umwarfen. Burgen wurden in Zeiten großer Unruhe gebaut und mussten deshalb gut verteidigt werden können. Manche standen über steilen Klippen oder Abgründen, andere waren ringsherum von einem tiefen, manchmal mit Wasser gefüllten Graben umgeben, sodass die Feinde die Burgmauern nur unter Mühen erstürmen konnten.

▲ ROLLENTAUSCH

Die Engelsburg in Rom war ursprünglich keine Burg. Sie wurde im Jahre 135 als Grabmal des römischen Kaisers Hadrian errichtet. Um 280 wollte ein anderer Kaiser die Befestigungen der Stadt verbessern. Er wandelte das Grab zu einem Brückenkopf der Verteidigungsanlage um. Mehrere Päpste führten schrittweise den Umbau zur Burg weiter. Sie enthielt Wohnräume, Höfe, Lager und Speicher, die alle durch die massiven Mauern geschützt wurden.

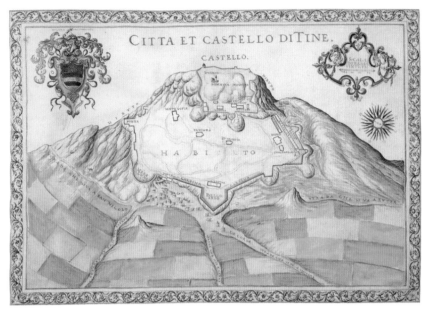

▲ VON BURGEN ZU STÄDTEN

Oft entwickelten sich aus den Burgen im Laufe der Zeit Städte, wie man auf der Karte der italienischen Stadt Tine im 17. Jh. erkennen kann. Immer mehr Handwerker und Kaufleute siedelten sich innerhalb und außerhalb der Befestigungsanlagen an. Der Burggraf gewährte den Menschen Schutz und erlaubte ihnen, ihrem Gewerbe nachzugehen oder ihre Waren auf dem Markt rund um die Burg feilzubieten. Dafür unterstützten die Bewohner den Burggrafen im Kriegsfall.

▲ EINE FRIEDLICHE GEMEINSCHAFT

Auch in Friedenszeiten herrschte auf der Burg reges Treiben, davon zeugt diese Darstellung einer deutschen Burg im 15. Jh. Die Burg war ein betriebsamer Mittelpunkt des Handels und Handwerks. Um die reichen Fürsten zu unterhalten, wurden Darbietungen veranstaltet. Zu Ehren von wichtigen Besuchern aus anderen Gegenden wurden Feste und Jagden abgehalten. Ritter nahmen an Turnieren teil, um sich als mutige, kampferfahrene Krieger und Reiter zu beweisen.

▲ LUXUSVILLEN

Vom 16. Jh. an wurden die politischen Verhältnisse in Europa ruhiger, und stark befestigte Burgen waren nicht mehr notwendig. Das Märchenschloss Neuschwanstein wurde im späten 19. Jh. von König Ludwig II. von Bayern erbaut. Es ist wesentlich komfortabler als eine mittelalterliche Burg.

Burgen in aller Welt

Zwischen dem 9. Jh. und dem 16. Jh. wurden in ganz Europa Burgen gebaut, u. a. in Skandinavien, Britannien, Frankreich und Deutschland, und ebenso im Nahen Osten. Die großen, gut befestigten Gebäude entsprachen der Lebensweise der Menschen dieser Zeit, in der es Land besitzende Könige und Fürsten sowie abhängige Lehnsleute und leibeigene Bauern gab. In Ländern wie Schweden, in denen weniger Herrscher lebten, die sich gegenseitig bekämpften, entstanden weniger Burgen. Viele mächtige Festungen wurden im Nahen Osten von Arabern und Sarazenen angelegt. Die Kreuzfahrer eroberten viele dieser Anlagen und bauten sie aus oder bauten im eroberten Gebiet eigene Burgen. In Indien entstanden für vermögende Herrscher befestigte Paläste wie der Amber Palace in Golkonda und das Rote Fort. Außerhalb von Europa war Japan bis ins 17. Jh. hinein das wichtigste Zentrum des Burgenbaus. Die Gestaltung der Burgen hing immer von der Landschaftsform und dem Vermögen der Besitzer ab.

6

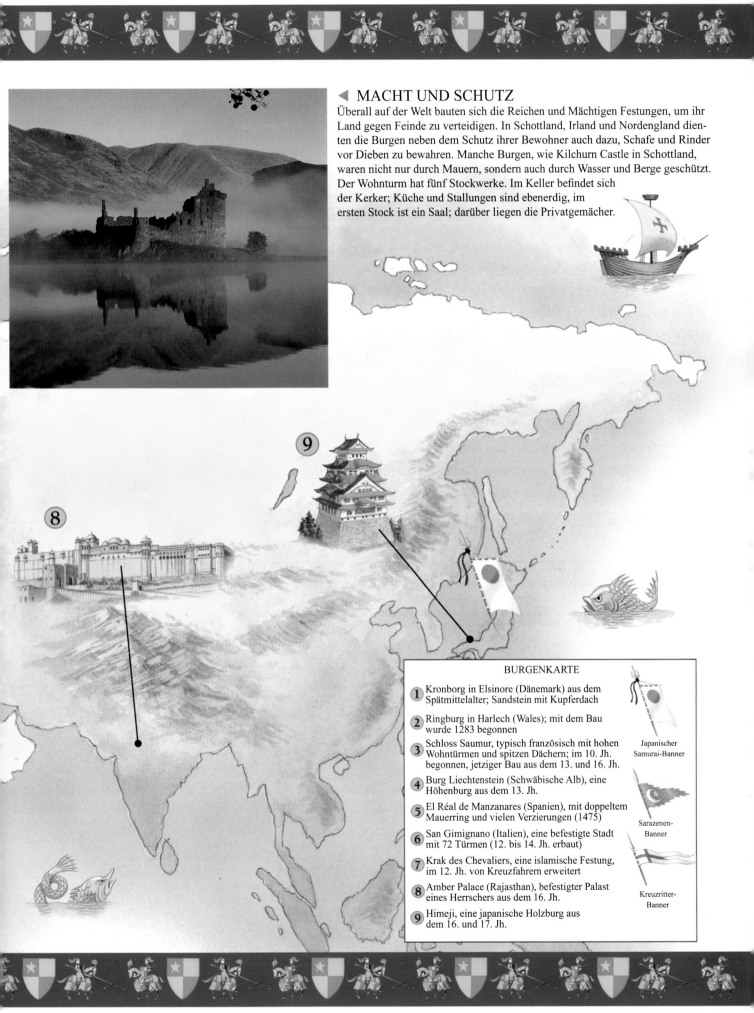

◀ MACHT UND SCHUTZ

Überall auf der Welt bauten sich die Reichen und Mächtigen Festungen, um ihr Land gegen Feinde zu verteidigen. In Schottland, Irland und Nordengland dienten die Burgen neben dem Schutz ihrer Bewohner auch dazu, Schafe und Rinder vor Dieben zu bewahren. Manche Burgen, wie Kilchurn Castle in Schottland, waren nicht nur durch Mauern, sondern auch durch Wasser und Berge geschützt. Der Wohnturm hat fünf Stockwerke. Im Keller befindet sich der Kerker; Küche und Stallungen sind ebenerdig, im ersten Stock ist ein Saal; darüber liegen die Privatgemächer.

BURGENKARTE

1 Kronborg in Elsinore (Dänemark) aus dem Spätmittelalter; Sandstein mit Kupferdach

2 Ringburg in Harlech (Wales); mit dem Bau wurde 1283 begonnen

3 Schloss Saumur, typisch französisch mit hohen Wohntürmen und spitzen Dächern; im 10. Jh. begonnen, jetziger Bau aus dem 13. und 16. Jh.

4 Burg Liechtenstein (Schwäbische Alb), eine Höhenburg aus dem 13. Jh.

5 El Réal de Manzanares (Spanien), mit doppeltem Mauerring und vielen Verzierungen (1475)

6 San Gimignano (Italien), eine befestigte Stadt mit 72 Türmen (12. bis 14. Jh. erbaut)

7 Krak des Chevaliers, eine islamische Festung, im 12. Jh. von Kreuzfahrern erweitert

8 Amber Palace (Rajasthan), befestigter Palast eines Herrschers aus dem 16. Jh.

9 Himeji, eine japanische Holzburg aus dem 16. und 17. Jh.

Japanischer Samurai-Banner

Sarazenen-Banner

Kreuzritter-Banner

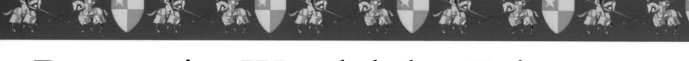

Burgen im Wandel der Zeit

Die große Zeit der Burgen war das Mittelalter, allerdings gab es Festungen und befestigte Gebäude schon lange zuvor. Bereits vor etwa 3000 Jahren wurden im Mittelmeerraum Städte und Paläste mit Verteidigungsanlagen errichtet. Sie besaßen massive Steinmauern, Türme und Außenhöfe für die Verteidiger. Die Ruinen der Befestigungsanlagen von Mykene und Tiryns in Griechenland sind bis heute erhalten. Vor etwa 2000 Jahren legten die Römer Festungen an, von denen aus die Grenzen des Reiches verteidigt wurden. Die Holzpalisaden waren mit Lehm verputzt, damit es aussah, als seien sie aus Stein.

Die ersten Befestigungen im frühmittelalterlichen Europa bestanden aus einer Motte, einem aufgeschütteten Erdhügel mit einem hölzernen Wehrturm; den befestigten Wirtschaftshof unterhalb des Turmes nennt man Zwinger. Als die Waffen immer schlagkräftiger wurden und die Anzahl der Bewohner wuchs, benötigte man größere, massive Bauwerke, die länger Bestand hatten.

▲ ANTIKER PALAST

Die Burg von Mykene (frühes 13. Jh. v. Chr.) thront auf einer Anhöhe. Ebenso wie die Burgen, die später entstanden, besaß sie dicke Mauern, die aus großen Steinblöcken bestanden. Auf der einen Seite erhebt sich die Mauer über einer senkrechten Felswand. Als Eingang diente ein beeindruckendes Tor mit Steinlöwen. Die Burg entstand in einer Zeit, als sich die kleinen Königreiche der Region häufig gegenseitig bekriegten – ähnlich wie später in Westeuropa.

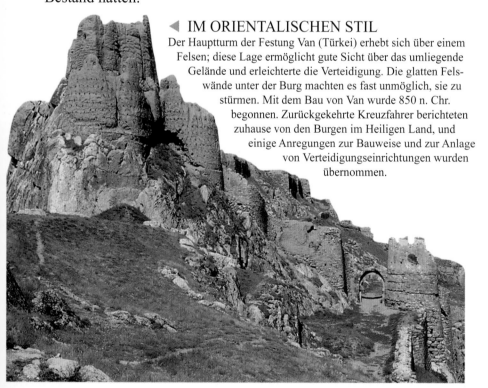

◄ IM ORIENTALISCHEN STIL

Der Hauptturm der Festung Van (Türkei) erhebt sich über einem Felsen; diese Lage ermöglicht gute Sicht über das umliegende Gelände und erleichterte die Verteidigung. Die glatten Felswände unter der Burg machten es fast unmöglich, sie zu stürmen. Mit dem Bau von Van wurde 850 n. Chr. begonnen. Zurückgekehrte Kreuzfahrer berichteten zuhause von den Burgen im Heiligen Land, und einige Anregungen zur Bauweise und zur Anlage von Verteidigungseinrichtungen wurden übernommen.

▲ FESTUNG AUS STEIN

Im frühen Mittelalter wurden die hölzernen Wehrtürme allmählich durch dickwandige Türme aus Stein (Donjon) ersetzt, die auf festen Fundamenten ruhten und durch Feuer nicht so schnell zerstört werden konnten. In den oberen Stockwerken lagen die Gemächer der Burggrafen. Von den hohen Zinnen von Schloss Tarascon in Südfrankreich aus hatten die Verteidiger einen hervorragenden Ausblick auf anrückende Feinde.

◢ EINGEBAUTE SICHERHEIT

Der Burghof von Schloss Saumur in Frankreich
ist durch eine hohe Steinmauer mit Türmen und
ein massives Tor geschützt. Gegen Ende des
12. Jh. lösten Mauern und Torhaus den Turm als
wichtigste Verteidigungseinrichtung ab.
Sehr wichtig war der Brunnen im Burghof.
Er verfügte über einen großen unterirdischen
Wassertank und versorgte die Burgbewohner bei
Belagerungen mit Trink- und Löschwasser.

▲ DOPPELTER MAUERRING

Die Burg El Réal de Manzanares bei Madrid
besitzt zwei Mauerringe. Hatten Angreifer die
äußere, niedrigere Mauer überwunden, sahen
sie sich der höheren inneren gegenüber und
saßen damit praktisch in der Falle.
Ringburgen mit doppelten Mauerringen
wurden etwa ab Mitte des 12. Jh. gebaut.
Ihr Vorbild könnte die doppelte Mauer der
Stadt Konstantinopel (das heutige Istanbul)
gewesen sein, die europäische Ritter auf ihren
Kreuzzügen kennen gelernt hatten.

◀ PAGODENFORM

Der Hauptturm der Festung Himeji in Japan
erhebt sich in Form einer Pagode mit mehreren Stockwerken. Die reich verzierten Dächer
weisen auf die hohe Stellung des Besitzers
hin. Die große Zeit des Burgenbaus begann
in Japan später als in Europa. Himeji war zunächst nur eine kleine Festung, die im 16. und
17. Jh. von dem Kriegsherrn Ikeda Terumasa
ausgebaut wurde. Der Hauptturm war das
Herz der Burg und enthielt auch die Wohnräume des Kriegsherrn, seiner Familie und der
Krieger sowie Lagerräume und Räume für die
Wachen. Die Holzwände waren zum Schutz
vor Feuer mit Gips verputzt.

▲ ENDE EINER EPOCHE

Das Märchenschloss in Disneyworld in
Florida ist dem Schloss Neuschwanstein von
König Ludwig II. von Bayern nachgebaut.
Schlösser dieser Art dienten nicht mehr als
Festungen. Gegen Ende des Mittelalters
wurden keine Burgen mehr gebaut, weil
sich die Zeiten geändert hatten. Statt sich zu
bekriegen, trieb man Handel miteinander.
Auch die Städte benötigten die aufwändigen
Verteidigungsanlagen nicht mehr. Das Leben
war friedlicher geworden.

Burgenbau

Kannst du dir vorstellen, wie schwierig es gewesen sein muss, ohne moderne Maschinen wie Kran oder Bagger ein so großes Gebäude wie eine Burg zu errichten? Der größte Teil der Arbeit wurde mit der Muskelkraft von hunderten von Arbeitern geleistet. Die Werkzeuge waren einfach. Steinmetze gaben dem Stein mit Hammer und Meißel die gewünschte Form. Zimmerleute verwendeten ebenfalls Hammer und Meißel sowie Säge und Hobel. Außerdem gab es einfache Maschinen, wie Seilwinden, mit denen schwere Gegenstände hochgezogen wurden. Sie konnten durch eine Wind- oder eine Wassermühle betrieben werden, am häufigsten aber nahm man dazu Tretmühlen. Das sind riesige, schwere Räder, in denen ein Mann lief wie ein Hamster im Rad und so Kraft erzeugte.

Einfache Holztürme mit Motten konnten innerhalb weniger Wochen fertig sein, aber der Bau einer Burg aus Stein dauerte mitunter so lange wie ein ganzes Menschenleben. Der ideale Standort einer Burg war auf einer Anhöhe nahe einem Wald, in dem es Wild gab, und einem Fluss oder See, aus dem man sich mit Wasser versorgen konnte.

▲ BERUFSRISIKO

Die Arbeiter waren beim Burgenbau großen Gefahren ausgesetzt. Es gab nichts, was einen Sturz vom Turm aufgehalten hätte. Hier wird gerade Baumaterial in Körbe geladen, um später mit der Winde hochgezogen zu werden. Die Holzgerüste waren durch Seile verbunden und nicht sehr stabil. Die Stangen wurden in Rüstlöcher gesteckt: Löcher, die man in der Mauer offen gelassen hatte.

▲ BAUPLÄNE

Bevor komplexe Gebäude wie Burgen und Schlösser gebaut werden konnten, mussten Pläne gezeichnet und Holzmodelle gebaut werden. Der Architekt berücksichtigte die Bodenbeschaffenheit ebenso wie das in der Gegend vorhandene Baumaterial. Größe und Gestaltung des Gebäudes waren auch von den Wünschen des Besitzers und von seinem Vermögen abhängig.

▲ GEWICHTIGE PROBLEME

Schwere Lasten wurden mittels Flaschenzügen und der Kraft vieler Arbeiter gehoben. Das in Westeuropa am häufigsten verwendete Baumaterial war Stein, weiter im Osten nahm man oft Ziegel. Die Steine wurden meist per Schiff befördert; die unbefestigten Straßen waren für Schwertransporte ungeeignet.

BAUMEISTER ▶

Ein Baumeister beaufsichtigt eine Gruppe von Arbeitern. Fähige Baumeister waren sehr angesehen. Sie bezahlten einen Verwalter dafür, dass er Buch führte und das Material besorgte, während sie sich um die eigentlichen Bauarbeiten kümmerten. Baumeister reisten von einer Baustelle zur anderen quer durch Europa. Aufzeichnungen aus dem frühen 14. Jh. belegen, dass auf der Baustelle von Beaumaris Castle in Wales zeitweise 2000 Arbeiter, 400 Maurer, 30 Schmiede und 200 Karrenlenker arbeiteten.

▲ AUS ALT MACH NEU

Der Türsturz für das Torhaus von Carlisle Castle (England) ist aus einem antiken römischen Altar gefertigt, der vermutlich 1000 Jahre älter als das Schloss ist. Stein war teuer und umständlich zu transportieren; deshalb nahm man gerne Steine, die man am Bauort vorfand. Burgen, die man nicht länger brauchte, wurden oft stückweise als Baustoff verkauft.

VIELE ARBEITSPLÄTZE ▶

Am Bau einer Burg waren viele Menschen beteiligt. Zimmerleute sägten Balken zurecht und bauten Gerüste. Stein wurde im Steinbruch gehauen, mit Karren zur Baustelle gebracht und dann von Steinmetzen zurechtgeschnitten und in die endgültige Form gebracht. Kalkbrenner stellten den Mörtel her (eine Mischung aus Sand, Kalk und Wasser), mit dem die Steine verbunden wurden. Dachdecker arbeiteten auf den Dächern und Klempner brachten Bleirohre an, während Schmiede Schlösser, Türbeschläge und Fallgatter schmiedeten.

Schutz und Trutz

Eine Burg musste ihren Bewohnern genug Platz bieten und außerdem so gebaut sein, dass sie einem Angriff trotzen, also ihm widerstehen konnte. Unten abgebildet ist das Vorbild unseres Modells. Die Außenmauern sind so hoch, dass Angreifer sie nicht einmal mit Leitern erklimmen können. Die Verteidiger haben gute Sicht auf die Angreifer und können sie mit Pfeilen beschießen. Die Türme stehen auf einem stabilen felsigen Untergrund. Die Schwachstelle jeder Burg ist der Eingang. Deshalb befindet er sich nicht zu ebener Erde, sondern ist nur über eine Treppe zu erreichen. Bei unserem Vorbild führt sie zu einem Vorgebäude an der Seite des Hauptturms. In den unteren Bereichen dienen schmale Schlitze als Fenster, in die Angreifer nicht hineinklettern können, die aber den Bogenschützen, die dahinterstehen, als Schießscharten dienen.

Du brauchst: *Lineal, Bleistift, Schere, 4 Blatt festen Karton A1 (50 x 76 cm), 19 x 7 cm dünnen Karton, 50 x 15 cm Wellpappe, Kleber, eine Rolle Klebeband, Zirkel, Acrylfarben, mehrere Borstenpinsel.*

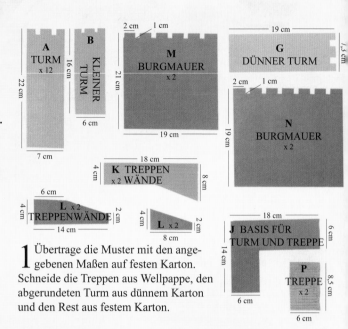

1 Übertrage die Muster mit den angegebenen Maßen auf festen Karton. Schneide die Treppen aus Wellpappe, den abgerundeten Turm aus dünnem Karton und den Rest aus festem Karton.

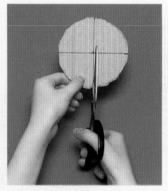

5 Zeichne mit einem Zirkel einen Kreis mit 9,5 cm Durchmesser auf festen Karton. Markiere die Viertel. Schneide ein Viertel heraus.

6 Baue die zwei rechteckigen Wände und die Böden des abgerundeten Turms in der gleichen Weise zusammen wie die drei viereckigen Türme.

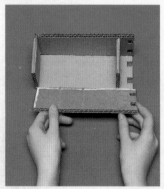

11 Baue den kleinen Turm auf die gleiche Weise wie die anderen Türme. Füge zwei Wände zusammen, klebe die Böden ein und die dritte Mauer.

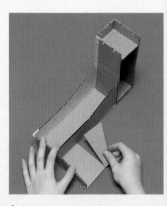

12 Klebe den kleinen Turm an das Ende des längeren Teils der Treppenbasis (Abschnitt J). Klebe die Treppenwände K und L wie auf dem Foto ein.

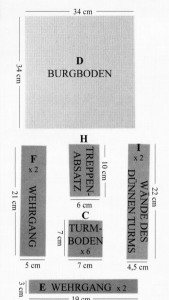

34 cm

D
BURGBODEN

34 cm

F x 2

21 cm

WEHRGANG

5 cm

H
TREPPEN ABSATZ

10 cm

6 cm

C
TURM-BODEN x 6

7 cm

7 cm

I x 2

22 cm

WÄNDE DES DÜNNEN TURMS

4,5 cm

3 cm

E WEHRGANG x 2

19 cm

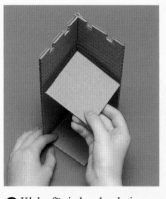

2 Klebe für jeden der drei viereckigen Türme zwei Wände A an den Turmboden C. Klebe dann den oberen Boden (Abschnitt C) ein.

3 Bestreiche bei jedem der drei viereckigen Türme die offenen Kanten von Boden, Turmbasis und Wand mit Kleber. Füge dann die dritte Wand ein.

4 Lass den Kleber trocknen. Klebe dann die vierte Turmwand an und überklebe alle Kanten der Turmwände zur Sicherheit mit Klebeband.

7 Bestreiche die Ränder der Wände des dünnen Turms mit Kleber. Biege dann die dünne Kartonwand G rund und klebe sie an. Verstärke die Klebestellen mit Klebeband.

8 Stelle die vier fertigen Türme an den Ecken des Burgbodens D auf. Klebe die Türme an ihren Positionen fest und verstärke die Klebestellen mit Klebeband.

9 Schneide in die obere Kante der Burgmauern M und N Zinnen ein. Streiche auf die unteren und seitlichen Kanten der vier Burgmauern Kleber und füge sie zwischen den Türmen ein.

10 Streiche Kleber auf die äußeren und seitlichen Kanten der Wehrgänge E und F. Füge sie unterhalb der Zinnen ein.

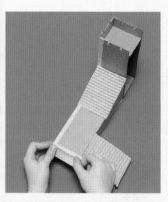

13 Klebe den Treppenabsatz H über das untere Ende der Treppenwände. Füge die Treppen P ein. Verstärke die Klebestellen mit Klebeband.

14 Schneide ungefähr 30 kleine Rechtecke aus dickem Karton aus und klebe sie in unregelmäßigen Gruppen auf die Außenwände deiner Burg.

Male die Burg und den Treppenturm an. Zum Schluss kannst du außen ein paar Fenster aufmalen. Die Mauern der echten Bergfriede wurden aus einzelnen Steinblöcken errichtet, die peinlich genau aufeinandergesetzt wurden; sie waren bis zu 5 m dick. Ein Bergfried hatte innen meist drei Stockwerke, die durch Leitern oder Treppen verbunden waren.

Auf Spurensuche

Heute wirken die meisten Burgen leer und ungemütlich oder sind nur noch Ruinen. Früher aber waren sie fast wie kleine Städte, belebt von Menschen, Vieh, Hunden und Pferden, Geräuschen und Gerüchen. Auch wenn die Burg heute ausgeplündert und verfallen ist, gibt es trotzdem eine ganze Anzahl von Hinweisen und Zeichen, wie die Burg früher genutzt wurde – wenn wir die Spuren zu lesen verstehen. Sie helfen uns, uns die Vergangenheit zu vergegenwärtigen und die Burg und ihre Bewohner in unserer Fantasie wieder zum Leben zu erwecken.

Der heute trockene Graben rund um die Außenmauer war möglicherweise früher mit Wasser gefüllt. Öffnungen in den Wänden waren vielleicht Schießscharten für die Bogenschützen oder für die Wurfmaschinen oder dienten den Balken als Stütze. Geschwärzte Steine zeigen, wo einst Feuerstellen und Herde waren. Die nur noch als Ruinen erhaltenen schmalen Türme könnten einst Wendeltreppen beherbergt haben – auf den rechtsdrehenden Treppen konnte ein von unten kommender, also feindlicher Rechtshänder nur mit Mühe das Schwert handhaben.

▲ SCHIESSSCHARTEN

Schau dir die schmalen Schlitze in den Mauern genau an. Bogenschützen auf der Burg konnten durch die Schießscharten gut auf herannahende Feinde zielen, die ihrerseits die schmalen Schlitze jedoch nur mit Mühe treffen konnten. Die links abgebildete Schießscharte ermöglichte es den Schützen, in zwei Richtungen zu schießen. Durch die runde Scharte rechts schoss man mit einem Gewehr. Waagerechte Scharten mit senkrechten Sehschlitzen (siehe Seite 33) waren für Armbrustschützen bestimmt.

▲ MAUERÖFFNUNGEN

Für Kanonen waren große Öffnungen in der Burgmauer nötig. Wegen des Rückstoßes nach dem Schuss brauchten sie viel Platz. In Dover Castle (England) wurden sogar Türme abgerissen, um Platz für Geschützgalerien zu machen. Bei dieser Burg in Tripoli (Libanon) wurde für die Kanone eine große Öffnung in der Wand geschaffen.

TOILETTEN ▶

Ausbuchtungen an Außenwänden wie diese gehörten wahrscheinlich zu den damals „Haymlich Gemach" genannten Toiletten. In dem kleinen Raum gab es einen Abort, vielleicht mit Holzsitz, und manchmal auch ein Waschbecken. Eine Hand voll Stroh oder Leinenstreifen waren die Vorläufer unseres Toilettenpapiers. Auf den Boden streute man wohlriechende Kräuter. Die Fäkalien fielen nach unten in eine Grube oder in den Burggraben. Ein Latrinenmann hatte die unangenehme und ungesunde Aufgabe, die Grube zu leeren.

EINE BURGMAUER ERZÄHLT ▶

Die Zinnen, mit denen die Burgmauer besetzt ist, waren nicht nur zur Verzierung da, sondern dienten als steinerne Schilde; die Schützen schossen zwischen den Spalten hindurch auf die Feinde und zogen sich dann wieder hinter die Zinnen zurück, um zu laden oder den nächsten Pfeil in den Bogen zu spannen. Diese Burg ist überwiegend aus Ziegeln erbaut; daran sehen wir, dass sie ziemlich jung ist – jünger als Burgen aus Stein. Als die Zeiten ruhiger wurden, bauten die Herrscher und Adeligen Schlösser oder Landsitze statt befestigter Burgen. Die breiten Spitzbögen der unteren Fenster lassen ebenfalls auf das Alter des Gebäudes schließen. Dieser Stil folgte auf die Rundbögen der normannischen Burgen und die schmalen Spitzbögen des frühen Mittelalters. Die Abbildung zeigt das um 1440 erbaute Tattershall (England).

▲ GÄHNENDE LEERE

Der 38 m hohe Turm von Rochester Castle (England) hatte ursprünglich mehrere hölzerne Böden, die inzwischen verrottet sind. Man kann immer noch die Rüstlöcher in den Wänden erkennen, in die die Balken eingefügt waren, die die Böden stützten. Schau an den Wänden nach herausragenden Steinblöcken, den Konsolen. Auch sie dienten Holzbalken als Stütze.

GEFAHR VON OBEN ▶

Als oberen Abschluss tragen Burgmauern manchmal eine von Konsolen gestützte Brüstung. Durch die Öffnungen wurden durch Pechnasen auf die darunter befindlichen Angreifer Pech, siedendes Wasser, Öl oder ungelöschter Kalk gegossen oder Steine geworfen. Ungelöschter Kalk verätzt Haut und Augen; herabgeworfene Steine erreichen eine hohe Fallgeschwindigkeit und können den Getroffenen schwer verletzen oder töten.

Die Burgbewohner

Die wichtigsten Burgbewohner waren der Burggraf, seine Gemahlin und ihre Kinder. Ein Burggraf besaß auf seinen Ländereien oft mehrere Burgen, die er abwechselnd bewohnte. Auf den Reisen von Burg zu Burg begleitete ihn ein großer Tross. Ein Teil der Dienerschaft blieb jedoch immer in der Burg zurück. Sie waren für Reperaturen zuständig, hielten die Burg sauber, wuschen die Wäsche und kümmerten sich um die Tiere. Aus Bauernfamilien stammende Mägde und Knechte, die in der Küche arbeiteten oder Tiere versorgten, standen in der Rangordnung der Burgbewohner ganz unten. Einige Bedienstete waren vornehmer Abkunft, zum Beispiel die Gesellschaftsdamen der Burgfrau. Schatzmeister kümmerten sich um die Finanzen und die Vorräte. Vögte und Verwalter beaufsichtigten die Landgüter des Burggrafen und trieben Abgaben ein. Der Hofmarschall bestimmte, wer in welchen Räumen wohnte. Nicht selten lebten in einer Burg hundert und mehr Menschen.

▲ ERFRISCHUNG
Eine Magd bringt einem Pferdeknecht einen Krug Wein. Die Pferdeknechte kümmerten sich um die Reitpferde und um die schweren Schlachtrosse. In Burgen arbeiteten vorwiegend Männer. Frauen wurden in der Küche beschäftigt und als Wäscherinnen, oder sie brauten Bier. Außerdem arbeiteten auf der Burg auch Näherinnen, die Kleidung ausbesserten.

▲ IMPOSANTE ERSCHEINUN
Für ihren komplizierten Kopfputz brauchte di Dame die Hilfe einer Zofe. Zuerst musste die Zofe der Dame das Haar flechten; dann breite sie ein Stück Stoff darüber. Die Hörnerhaube wurde von einem Drahtgestell in Form gehal Die Zofe befestigte sie am Haar, damit sie be Gehen nicht herunterfiel. Manche Damen tru bis zu l m hohe Hauben.

FAMILIEN-
GLÜCK ▶
Die Familie des Burggrafen hatte ihre Gemächer meist in den oberen Stockwerken der Burg. Wichtig für den Burggrafen waren Nachkommen, die eines Tages den Besitz erben würden. Fehlende Hygiene und medizinische Versorgung hatten allerdings zur Folge, dass etwa die Hälfte aller Kinder vor dem 15. Lebensjahr starb.

▲ LEBEN UND LIEBE

In einem Gärtchen gesteht ein Edelmann einer Dame seine Liebe. Vielleicht ist er der Sohn und Erbe des Burggrafen und sie die Tochter aus einer ebenfalls vornehmen Familie, die zu Besuch ist. Zum Zweck der Ausbildung und Verheiratung wurden die Kinder der Adeligen bereits im Alter von sechs oder sieben Jahren zu einer anderen Familie geschickt: Die Mädchen lernten als Zofen die Pflichten einer Dame kennen, die Jungen wurden als Pagen vom Burggrafen erzogen. Die meisten Mädchen wurden mit 14 Jahren verheiratet. All ihr Besitz ging dann in das Eigentum des Mannes über, weshalb die Männer ihre Braut häufig nach Maßgabe des Vermögens auswählten.

RITTER UND SÖLDNER ▼

Ein Ritter nähert sich einer Burg, um für deren Herrn zu kämpfen. Im frühen Mittelalter lebten die Ritter ständig mit in der Burg und beschützten den Adeligen auf seinen Reisen. Später hatten die Ritter ihre eigenen Güter und hielten sich auf der Burg ihres Fürsten nur dann auf, wenn ein Angriff erwartet wurde. Vom 14. Jh. an stellten die Burggrafen auch auswärtige Krieger ein. Diese Söldner kämpften, weil sie dafür bezahlt wurden, und nicht, weil sie dem Burggrafen in irgendeiner Weise verpflichtet waren.

◀ BURGHERRIN

Auf diesem Bild aus dem 15. Jh. heißt die Gräfin von Boulogne den Grafen von Artois willkommen. Für die Mächtigen war es sehr wichtig, Freundschaften zu pflegen, um in Kriegszeiten Verbündete zu haben. Wenn der Burggraf unterwegs war, kümmerte sich die Dame um alles, was mit der Burg zu tun hatte; wenn Feinde angriffen, musste sie die Verteidigung organisieren. Starb der Burggraf in der Schlacht, dann trat der erstgeborene Sohn an seine Stelle.

▲ KRIEGSHERREN

Ein Mitglied der Familie der Tokugawa reitet aus dem Tor der Burg Nijo in der japanischen Stadt Kioto. Im frühen 17. Jh. war diese Burg der Sitz der Familie des großen Shogun (Reichsfeldherrn) Tokugawa Ieyasu. Außer der Familie beherbergte sie auch eine Garnison. Die Burg war ein wichtiges Zentrum des Handels, der Rechtsprechung und der Gelehrsamkeit, sodass auch Lehrer, Juristen, Händler und Handwerker hier wohnten.

Kopfputz

Wenn du mit deiner Frisur nicht mehr zufrieden bist, könntest du es so machen wie die Damen im Mittelalter und dein Haar unter einem Kopfputz verstecken. Der Kranz, den wir hier zeigen, gehört zu den einfacheren Kopfbedeckungen, mit denen sich die Damen oft schmückten. Je reicher, bekannter und wichtiger eine Dame war, desto raffinierter war ihre Kleidung. Kleider konnten bestickt oder mit Pelz besetzt sein; dann waren sie sehr teuer und sollten ein Leben lang halten. Man konnte Kleider nirgends fertig kaufen. Die Händler kamen mit einer Auswahl an Stoffen auf die Burg, und Schneider fertigten die gewünschten Modelle an.

1 Schneide aus Wellpappe einen 4 cm breiten Streifen von etwa 30 cm Länge und klebe ihn zu einem Ring, der genau auf deinen Kopf passt.

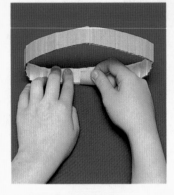

2 Schneide zwei Stoffstücke so zu, dass du in jedes einen Schwamm einwickeln kannst. Schneide aus dem Netzgewebe zwei etwas größere Rechtecke.

Du brauchst: *Schere, 30 x 4 cm Wellpappe, Klebeband, 2 m Stoff, 3 bis 4 m Netzgewebe, 2 runde Schwämme von etwa 10 cm Durchmesser, Bindfaden, Wasserfarben und Pinsel, alte Strumpfhosen, Watte oder Füllmaterial, buntes Geschenkband, Nadel und Faden, l m Goldborte, Kleber, 2 x 2 cm Silberfolie, 3 x 7 cm lange Stücke dünner Draht, Perlen.*

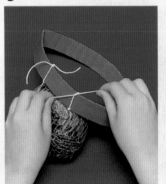

4 Male den Ring an. Fädle durch jeden Schwamm eine Schnur und binde die beiden Schwämme damit am Ring fest.

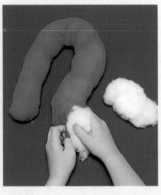

5 Schneide die untere Hälfte eines Strumpfhosenbeins ab und stopfe es fest mit Füllung, bis es wie eine Rolle aussieht. Knote das offene Ende zu.

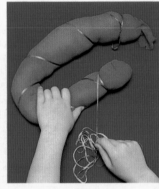

6 Binde das Geschenkband um ein Ende der Rolle. Wickle es wie abgebildet um die Rolle und wieder zurück, damit ein Muster entsteht.

Adelige Damen aus dem 12. und 13. Jh. trugen Gewänder aus kostbaren Stoffen, hohe Hüte und spitze Schuhe. Manche Kopfbedeckungen erinnern an Kuhhörner oder Schmetterlingsflügel. Andere waren hoch und spitz und mit langen Schleiern aus feinem Stoff verziert. Natürlich war schnelles Gehen oder Laufen in dieser Kleidung nicht möglich.

Hennin oder Burgundische Haube

Hörnerhaube

Hennin oder Burgundische Haube

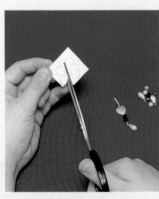

9 Schneide aus der Silberfolie eine Blume aus. Biege Draht zu einem Haken um. Fädle einige Perlen auf das andere Ende auf und biege es um.

EIN HÖFISCHES GEWAND

1 Raffe ein großes Stück Stoff am Rand mit einer Reihe großer einfacher Stiche zusammen.

2 Ziehe am freien Ende, bis der Stoff gekräuselt ist, aber noch über deine Brust passt. Vernähe beide Enden fest.

3 Klebe die Borte über die gekräuselte Stelle. Lass hinten genug Borte stehen, damit du eine Schleife binden kannst.

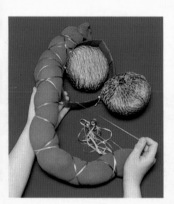

3 Lege die Stoffstücke auf die Netzstücke. Lege in die Mitte jedes Rechtecks einen Schwamm. Binde die Enden mit Schnur zusammen.

7 Wickle weiteres Geschenkband darum und binde dabei die Rolle so mit dem Band auf den Ring, dass die beiden Enden übereinanderliegen.

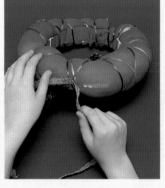

8 Nähe die beiden Enden der Rolle zusammen. Nähe ein Ende der Goldborte über die Verbindungsstelle. Klebe die Borte dann über die Rolle.

10 Klebe die kleine Blume vorne auf den Kopfputz. Hänge den Draht mit den Perlen in der Mitte ein. Klebe mehr Perlen und Borten auf.

11 Lege in das restliche Netzgewebe eine doppelte Falte. Nähe den Schleier innen in die hintere Hälfte des Kranzes ein.

Solche Kränze wurden mit getrockneten Pflanzen oder anderem leichten Material ausgestopft.

Haarschnecken

Eine Kopfputz wie dieser Kranz wurde aus Seide oder Satin hergestellt und durch ein Haarnetz am Kopf gehalten. Der Kranz saß über einem Sehleier, der wie auf unserem Foto hinten über den Nacken herabhing. Die Damen rasierten häufig den Haaransatz weg, sodass unter dem Kopfputz keine Haare zu sehen waren und ihre Stirn höher wirkte. Da das heute nicht mehr in Mode ist, raten wir dringend davon ab, es ihnen nachzutun. Es sieht bereits sehr mittelalterlich aus, wenn du dein Haar straff zurückbindest oder hochsteckst.

Alltag in der Burg

Das Leben in der Burg begann schon vor dem Morgengrauen, wenn die Bediensteten aufstanden, um Feuer zu machen; das Holz stammte aus den Wäldern rund um die Burg. In der Küche bereiteten die Köche das Essen für die Burgbewohner zu; Wasser wurde aus dem Brunnen im Burghof geschöpft. Alle Leute tranken Bier zum Essen, deshalb herrschte in der Brauerei stets Hochbetrieb. Knechte und Mägde versorgten das Geflügel, die Schweine, Rinder, Ziegen und Pferde. Zimmerleute und Maurer führten Reparaturen aus. Ritter und Knappen übten sich täglich im Kampf und trainierten ihre Pferde für den Kriegsfall. Die Burg war außerdem Handelszentrum, Bank und Gericht. Die Bauern kamen und zahlten ihre Abgaben, ließen das Getreide in der Mühle des Burggrafen mahlen oder Brot in dessen Ofen backen. Der Meier, der Verwalter des Burggrafen, schlichtete Streitigkeiten unter den Bauern und bestrafte Vergehen.

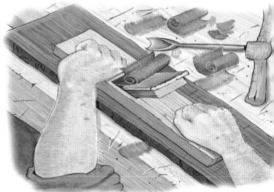

▲ IN DER SCHMIEDE

Der Burgschmied hatte unablässig zu tun. Seine Werkstatt stand abseits von den übrigen Gebäuden, um die Brandgefahr zu verringern. Er fertigte Waffen für die Ritter, Hufeisen für die Pferde, Töpfe für die Köche und sogar Fingerhüte für die Damen. Nägel und Reifen für Fässer wurden auf einem Amboss flach gehämmert, mit Zangen wurde das Metall über das Feuer gehalten, und mit Blechscheren wurden Metallplatten geschnitten.

▲ IN DER SCHREINEREI

Vorsicht! Hier fliegen die Späne! Die Burgschreiner waren kaum jemals untätig. Die Balken litten unter der Feuchtigkeit und den Holzwürmern und mussten häufig ersetzt werden. Der Burggraf wünschte möglicherweise neue Holzverkleidungen für den großen Saal, und in der Küche wurden Holztafeln für ein Festgelage gebraucht.

Januar

Februar

März

April

Mai

August

September

Oktober

DAS BAUERNJAHR

Die Bauern gehörten zur Herrschaft des Fürsten. Das ganze Jahr über mussten sie von Sonnenaufgang bis Sonnenuntergang Frondienste für ihn leisten. Im Frühling wurden die Felder bestellt und kamen die Jungtiere zur Welt. Im Sommer musste das Getreide geschnitten und gedroschen werden. Der Herbst war die Zeit der Weinlese. Im Winter wurden die gemästeten Tiere mangels Futter geschlachtet und verarbeitet.

IN DER KEMENATE ▶

In der Kemenate, dem beheizbaren Frauengemach, bedienten Edelfräulein die Burggräfin. Sie hielten ihre Gemächer sauber, spannen Wolle und webten Stoffe. Die Burggräfin selbst musste den Haushalt überwachen und Dienern und Händlern Anweisungen geben. In ihrer Freizeit stickte sie, spielte ein Instrument, sang oder schrieb vielleicht ein Gedicht. Wenn ihr langweilig war, konnte sie zu ihrer Unterhaltung auch einen Geschichtenerzähler oder den Hofnarren kommen lassen.

◀ SEID BEREIT!

In der Waffenschmiede wurden Waffen und Rüstungen in Stand gehalten. Das Metall musste regelmäßig poliert und eingeölt werden, damit es nicht rostete. Dazu wurden die einzelnen Teile der Rüstung in ein Fass mit Sand gesteckt, das herumgerollt wurde. Eine komplette Rüstung kostete damals etwa so viel wie heute ein Auto, und ähnlich wie beim Auto wurden Beulen und Löcher sorgfältig ausgebessert. Hämmerer und Polierer fertigten Stahlplatten, die dann von Schlossern mit Scharnieren versehen wurden. Helme wurden vom Waffenschmiedmeister gefertigt und von Graveuren verziert.

ALLZWECKBEHÄLTER ▶

Diese beiden Küfer stellen gerade ein Fass her – einen für eine Burg sehr wichtigen Gegenstand. In den Fässern lagerte man Wein, Bier, Apfelwein, eingesalzenes Fleisch und andere Vorräte. Sie dienten auch als Wasch- und Färbekessel. Alle Handwerksmeister wie Küfer, Schmiede und Schreiner bildeten Lehrlinge aus.

Juni

Juli

November

Dezember

Nähen und Sticken

Die meisten Mädchen und Frauen lernten Spinnen und Weben. Stickereien, mit denen Kleider, Decken und Kissen verziert werden konnten, waren sehr beliebt. Die großen Wandteppiche wurden meist von Webern hergestellt. Bevor mit dem Sticken begonnen werden konnte, mussten der Untergrund aus Leinen gewebt und das Garn gesponnen und gefärbt werden. Es gab noch keine Fabriken mit Webmaschinen oder Geschäfte, in denen man fertigen Stoff kaufen konnte. Die Wolle stammte von den Schafen, die auf den Wiesen des Burggrafen weideten. Das Leinen wurde aus Flachs gewonnen, der auf den Feldern angebaut wurde. Die kurzen Fasern wurden zunächst mit der Handspindel zu Garn gesponnen. Erst im frühen 14. Jh. wurde das Spinnrad erfunden. Das Färben geschah in einem Bottich, der mit einer Lösung aus natürlichen Färbemitteln wie Blättern oder Wurzeln gefüllt war.

1 Pause mit einem Filzstift unsere Vorlage (Bild 9) auf das Pauspapier ab. Drehe das Papier um und zeichne die Linien mit dem weichen Bleistift nach.

2 Klebe die Vorlage mit der Bleistiftzeichnung nach unten auf den Stoff und fahre die Linien nach: So druckst du die Bleistiftlinien auf den Stoff.

4 Beginne mit dem unteren doppelten Schnörkel. Ziehe die Nadel mit dem Faden von der Rückseite des Stoffes zur Vorderseite durch.

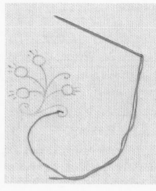

5 Ziehe die Nadel etwa 2 mm weiter auf der Linie durch den Stoff. Steche beim nächsten Mal auf Höhe der Hälfte des ersten Stichs ein (Stielstich).

> **Du brauchst:** *Schwarzen Filzstift, weichen Bleistift, 8 x 9 cm Pauspapier, ein rechteckiges Stück Leinen mit 15 cm Kantenlänge, Klebeband, Schere, doppelfädiges Stickgarn in den Farben Rot, Grün, Blau und Orange, Sticknadel, Lineal.*

Die Frauen der Burg machten sich an die Arbeit: Sie stellten Stoff für Kleidung und für Bettwäsche her. Um verarbeitet werden zu können, musste die Schafswolle zuerst gewaschen werden. Um sie zu entwirren, wurde sie anschließend mit Karden gekämmt, wie es die Frau ganz rechts in der Abbildung macht. Das gesponnene Garn wurde dann auf dem Webstuhl zu Stoff gewoben.

9 Fädle nun den blauen Faden in die Nadel. Sticke bei jeder Blüte einen längeren mittleren und auf beiden Seiten je einen kurzen Stielstich.

3 Schneide ein langes Stück orangefarbenes Garn ab, fädle es in die Nadel ein und knüpfe an das andere Ende einen Doppelknoten.

STIELSTICHE

1 Bringe den Faden von hinten nach vorne. Halte hinten das Ende des Fadens fest.

2 Stich weiter vorne mit der Nadel ein, ohne den Faden ganz durchzuziehen.

3 Lass den Faden am ersten Stich entlang laufen. Nähe über das lose Ende der Rückseite.

4 Ziehe den Faden knapp neben dem ersten Stich durch und sticke diagonal weiter. Wenn du dabei den Faden über das lose Ende führst, kannst du das hintere Ende des Fadens befestigen, ohne einen Knoten zu machen.

6 Sticke den gesamten Schnörkel mit regelmäßigen Stielstichen. Die einzelnen Stiche müssen so nahe beieinanderliegen, dass eine Linie entsteht.

7 Fädle nun das grüne Garn in die Nadel. Beginne am Ansatz der Stängel und sticke sie mit Stielstichen wie beschrieben.

8 Sticke die Blüten mit rotem Faden. Sticke mit kleinen Stielstichen jeweils einen Kreis.

Im Mittelalter lernten nur die Mädchen sticken; die Jungen hatten andere Aufgaben. Die vornehmen Damen stickten zum Vergnügen. Bauersfrauen hatten weder Zeit dazu noch Geld für das Material. Wenn die Mädchen verschiedene Stiche beherrschten, fertigten sie Mustertücher an. Auch du hast bei unserem kleinen Stickkurs sicher etwas gelernt. Wenn du deinen Namen und das Datum aufstichst, werden die Leute, die dein Tuch in einigen Jahrhunderten finden, wissen, woher es stammt.

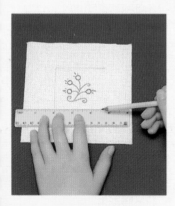

10 Markiere mit Bleistift und Lineal Punkte mit je 1 cm Abstand zu den äußersten Punkten der Stickerei. Verbinde die Punkte mit geraden Linien.

11 Rahme die Blume mit Stielstichen ein. Mit der kleinen Stickerei kannst du eine Tasche verzieren; oder du fertigst ein Bild an.

Essen und Feiern

Hast du Appetit auf einen Wildschweinkopf oder einen riesigen Fisch? Wie wäre es zur Abwechslung mit einem gebratenen Pfau oder Reiher, serviert auf einem Gold- oder Silberteller? Das waren nämlich die Speisen, die bei den Festmahlen auf den Burgen serviert wurden. Die Festmahle begannen um zehn oder elf Uhr vormittags und dauerten mehrere Stunden. Alles, was auf den Tisch kam, stammte von den Gütern der Burg: Früchte aus den Gärten, Getreide von den Feldern, Wildbret aus den Wäldern und Fische aus Flüssen und Seen.

Bis die Speisen aufgetischt wurden, waren sie meist kalt, denn die Burgküche lag wegen der Brandgefahr zunächst auf der anderen Seite des Hofs. Erst später wurde sie ins Innere verlegt (Bild unten). Bauern und Diener waren bei den Banketten nicht eingeladen. Überhaupt mussten sie sich mit einfacher Nahrung begnügen und aßen zumeist Brot und dicke Suppen sowie ein wenig Schinken, Milch, Käse und Butter. Damals gab es keine Kühlschränke. Um Lebensmittel haltbar zu machen, wurden sie eingesalzen, geräuchert, sauer eingelegt oder getrocknet.

▲ OCHSE AM SPIESS

Einen Ochsen am Spieß zu braten, dauerte Tage und erforderte viel Kraft. Der ausgeblutete Ochse wurde auf einen langen Spieß gesteckt und musste ununterbrochen über dem offenen Feuer gedreht werden, damit das Fleisch gar wurde. Man aß das Fleisch mit dicken Soßen, die stark gewürzt waren; auf diese Weise war auch Fleisch, das nicht mehr so frisch war, genießbar. Gewürze wurden aus fernen Ländern eingeführt, und nur die Reichen konnten sie sich leisten.

◄ TÄGLICHES BROT

Der Bäcker holt einen Brotlaib nach dem anderen aus dem Ofen. Er trägt nur einen Lendenschurz, denn in der Backstube ist es sehr heiß. Mit einem Spatel schiebt er die Brote in den Ofen und holt sie wieder heraus. Der große Ofen kühlt nur sehr langsam ab. Um die Hitze gut auszunutzen, wird nach dem Brot Kuchen gebacken. Später werden im Ofen Federn und nasses Holz getrocknet.

▲ IN DER KÜCHE

Die Kochfeuer in der Küche einer Burg brannten ununterbrochen. Manche Küchen waren so groß, dass man darin drei Ochsen gleichzeitig braten konnte. Große Kessel wurden an eisernen Ketten über das Feuer gehängt. In ihnen kochte man zum Beispiel Eintopf, Gemüse oder große Fleischstücke für die vielen Bewohner der Burg.

▲ LECKERBISSEN

Unter den Tischen warteten die Hunde und Katzen auf ihren Anteil. Hunde vom Tisch aus zu füttern galt als unfein, aber ungenießbare Reste und Knochen warf man für gewöhnlich unter den Tisch, Die Leute spuckten auch auf den Boden, was wiederum den Anstandsregeln entsprach. Dementsprechend sah der Boden aus. Er wurde nicht besonders häufig gereinigt, sodass er Ungeziefer anzog, das sehr zur Verbreitung von Keimen und Krankheiten beitrug.

▲ TAFELFREUDEN

In schlechten Zeiten lebten auch der Burggraf und seine Familie oft nur von Brot und Suppe. Waren jedoch die Vorratskeller gut gefüllt, wurde ausgiebig „getafelt": Auf großen Holztafeln, die mit Tischtüchern bedeckt waren, wurde das Essen hereingetragen und auf Holzböcken abgesetzt. Je höher der Rang, desto näher saß man bei dem Burggrafen und seiner Gemahlin. Fahrende Sänger trugen die neuesten Nachrichten vor.

PICKNICK IM GRÜNEN ▶

Vor der Jagd genießen die Edelleute an einer Quelle im Wald ein stärkendes Mahl. Sie müssen Kräfte sammeln, denn die Jagd wird lang und beschwerlich sein. Reiche Adelige aßen sehr viel Fleisch und schätzten besonders Wildbret (Fasane, Wachteln, Rehe, Hirsche, Wildschweine und Hasen). Der Fürst nimmt auch hier den wichtigsten Platz ein. Sein Tisch ist reicher gedeckt als der der anderen Edelleute. Außerdem hat der Maler ihn größer dargestellt als die anderen Personen.

Aus der Burgküche

In der Burgküche wurden aus einfachen Zutaten köstliche Speisen zubereitet. Dieser Käsekuchen besteht aus herzhaftem Frischkäse, Zucker und Gewürzen. Eine Prise Safran gibt der Käsemischung eine schöne gelbe Farbe. Im Mittelalter wurden den Speisen oft färbende Kräuter und Gewürze wie Safran oder Sandelholz beigegeben und manchmal sogar Gold. Safran ist der Blütenstaub einer Krokusart, die am Mittelmeer wächst, und war damals wie heute entsprechend teuer. Auch heute kauft man ihn nur in kleinsten Mengen. Jahrhundertelang war Safran ein Symbol von Reichtum und Rang. Andere Süßspeisen wurden mit Sahne, Eiern, Datteln und Pflaumen zubereitet. Vor der Erfindung von Spülmitteln und Geschirrspülern wurden Töpfe und Teller mit Sand gescheuert und mit seifig schäumenden Kräutern abgerieben.

Du brauchst: *2 große Eier, 1 Prise Safran, heißes Wasser, 170 g Frischkäse, 1 Esslöffel braunen Zucker, 1 Teelöffel gemahlenen Ingwer, 1 Prise Salz, 1 fertigen Mürbeteig (etwa 250 g), Fett für die Form; Küchenwaage, Teelöffel, Esslöffel, zwei Rührschüsseln, vier kleine Teller, Backbrett, Eierbecher, Teesieb, Gabel, Schneebesen, Löffel, Mehl, Nudelholz, flache Kuchenform mit etwa 15 cm Durchmesser, Messer.*

1 Bereite alle Zutaten, Schüsseln und Geräte vor. Miss die Zutaten sorgfältig ab. Schlage die Eier einzeln und nacheinander über einem Teller auf.

2 Eier trennen: Stelle einen Eierbecher umgekehrt über das Eigelb. Gieße das Eiweiß in eine Schüssel ab und das Eigelb in eine andere.

4 Rühre den Frischkäse mit einer Gabel oder einem Löffel so lange um, bis er keine Klumpen mehr bildet und weich und cremig ist.

5 Schütte den braunen Zucker zu dem Eiweiß und schlage beides mit dem Schneebesen oder einem Handrührgerät, bis die Mischung schaumig ist.

Ein Edelmann isst von goldenem und silbernem Geschirr und trinkt aus einem Kelch aus Zinn oder Silber; vielleicht benutzt er auch Holzteller. Einfache Leute besaßen meist gar keine Teller Sie aßen von Brotscheiben, mit denen auch Fett und Soßen aufgenommen wurden. Selbst am hohen Tisch des Burggrafen wurde mit den Fingern gegessen. Zuweilen benutzte man Löffel, und jeder hatte sein eigenes Messer dabei. Gabeln wurden erst im 16. Jh. erfunden; davor schnitt man das Fleisch in mundgerechte Häppchen, die mit der Messerspitze aufgespießt wurden. Weich gekochte Speisen wurden mit dem Brot aufgewischt. Nach dem Essen brachte ein Diener den Herrschaften Wasser zum Händewaschen.

9 Wickle den Teigfladen um das Nudelholz. Halte das Nudelholz über die Kuchenform und wickle den Teig vorsichtig ab, sodass er in der Form liegt.

3 Gib den Safran in eine Schüssel. Gieße etwas heißes Wasser dazu. Wenn das Wasser gelb ist, gießt du es über das Teesieb in eine andere Schüssel.

Junge Männer aus vornehmen Familien bedienen bei einem Fest im großen Saal. Auf diese Weise lernten sie gute Manieren, höfisches Benehmen und wie man sich vornehm ausdrückt. Auf manchen Burgen probierte ein Vorkoster von allen Speisen, bevor sie dem Fürsten und seiner Familie vorgesetzt wurden.

6 Gib nach und nach den Frischkäse zu dem Eischnee und mische beides mit dem Schneebesen, damit sich alles miteinander verbindet.

7 Füge Ingwer, Salz und das Safranwasser hinzu. Rühre alles vorsichtig durch. Heize den Backofen vor: Elektroherde 200 °C, Gasherde Stufe 6–7.

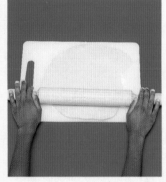

8 Rolle den Mürbeteig auf dem leicht mit Mehl bestreuten Backbrett aus. Der Teigfladen sollte etwa 5 mm dick sein. Fette die Form ein.

Süßer Käsekuchen ist eine der ältesten bekannten Süßspeisen. Durch die Käseherstellung konnte man den Nährwert der Milch lange erhalten. Ein weiteres Dessert aus dem Mittelalter sind die „Armen Ritter": In Milch und Zucker eingeweichtes Brot wurde in Eigelb gewälzt und in Fett ausgebacken.

10 Drücke den Teig mit den Fingerspitzen an die Ränder der Form und schneide überhängenden Teig mit einem Messer ab.

11 Gib die Frischkäsemischung auf den Teigboden. Schiebe den Kuchen auf die mittlere Schiene des Backofens. Backzeit: 20–25 Minuten.

Zeitvertreib

Die Menschen, die auf den Burgen lebten, hatten keine Fernsehgeräte, Stereoanlagen oder Computer, um sich die Zeit zu vertreiben. Stattdessen sorgten sie selbst für Unterhaltung. Sie spielten Brett- oder Ballspiele, tanzten, machten Ringkämpfe, sahen beim Puppenspiel und beim Jonglieren zu und hörten Musik, Gedichte oder Lieder an. Reiche Burggrafen stellten Barden und Narren fest ein, aber die meisten Unterhaltungskünstler reisten von einer Stadt oder Burg zur nächsten. Manchmal hatten sie auch Tiere wie Tanzbären dabei. Die Jagd und die Falknerei waren die wohl beliebtesten Freizeitbeschäftigungen des Adels. Die Hunde hetzten das Wild, und zahme Raubvögel wie Falken waren darauf dressiert, aufzufliegen, Singvögel zu fangen und mit der Beute zu ihrem Herrn (oder ihrer Dame) zurückzukehren. Am aufregendsten aber waren Turniere, bei denen man Rittern zusehen konnte, die in voller Rüstung und zu Pferd gegeneinander kämpften.

▲ SPIELZEUG

Zwei Freunde bewegen ihre Kämpfer durch Schnüre und lassen sie gegeneinander kämpfen. Es gab wenig Spielzeug; das meiste davon war offensichtlich für Jungen und hatte meist mit Krieg und Kämpfen zu tun. Kleinere Kinder spielten mit Drachen oder Windrädchen; es gab auch Murmeln. Drinnen spielten die Kinder Blindekuh oder im Kreis Ballspiele, die wir auch heute noch kennen. Andere Spiele, die in alten Texten erwähnt werden, sind in Vergessenheit geraten.

BALLSPIELE ▲

Zum Zeitvertreib spielten die einfachen Leute, die auf der Burg lebten, eine frühe Form von Hockey. Das Wort kommt vom altfranzösischen hoquet („Schäferstab"). Im 15. Jh. schlug man den Ball mit einem Stock, der an der Spitze gekrümmt war wie ein Schäferstab. Auch den Vorläufer unseres Fußballspiels gab es schon. In einem weiteren Spiel, das entfernt an Tennis erinnert, wurde der Ball mit der flachen Hand geschlagen.

◄ BRETTSPIELE

Beim Schachspiel geht es darum, dass Ritter und Bauern unter Anführung eines Königs in die Schlacht ziehen. Es wurde ursprünglich im Nahen Osten und in Indien gespielt und könnte von heimkehrenden Kreuzfahrern nach Europa gebracht worden sein. Die Figuren waren häufig sehr schön aus Elfenbein oder Knochen geschnitzt. Außer Schach spielte man auf den Burgen auch Dame, Würfel oder Backgammon.

◀ WAIDMANNSHEIL

Hier sieht man, wie ein Hirschrudel von berittenen Jägern mit einer Hundemeute in einen Fluss getrieben wird; am anderen Ufer wartet der Armbrustschütze. Jagdhunde wurden sorgfältig abgerichtet und waren sehr wertvoll. Sie wurden in Zwingern gehalten, von Hundeführern betreut und mit saftigen Fleischbrocken von der Jagdbeute gefüttert. Edelleute hatten oft einen Lieblingshund, der ihnen auf Schritt und Tritt folgte. Einfachen Leuten wie Bauern war es nicht erlaubt, auf dem Land des Burggrafen zu jagen; viele wilderten und wurden, wenn sie dabei erwischt wurden, hart bestraft.

◀ MUSIK UND TANZ

Eine Trommel klopft den Takt, die sanften Klänge von Harfen und Flöten verbinden sich zur Melodie. Gespielt wurden auch Dudelsäcke und Leierkästen. Im gesamten Mittelalter stand der Tanz in hohem Ansehen. Bei einem im 12. Jh. beliebten Tanz traten die Tänzer im Takt zur Musik abwechselnd in einen Kreis oder eine Linie und wieder heraus. Später kamen immer mehr Tänze auf, bei denen die Leute paarweise tanzten.

BARDEN ▲

Fahrende Sänger trugen dem Burggrafen und seiner Dame Lieder von der Liebe und von Heldentaten vor. Um wichtigen Persönlichkeiten zu schmeicheln, dachten die Barden sich eigens für sie lange Lieder über Familie und Vorfahren aus. Die wandernden Dichter waren professionelle Künstler. Im 12. Jh. verfassten französische Troubadoure viele lange Gedichte; sie waren Dichter von vornehmem Stand.

EINLADUNG ZUM FEST ▶

Bei einem turbulenten Fest treten zur Belustigung der Gäste neben Musikern, Schauspielern und Narren auch Tiere auf. An Schauspieler (damals auch Mimen genannt) war man seit Langem gewöhnt. Bunt kostümiert traten sie auf und gaben gegen Nahrung, Getränke oder Geld einen Tanz oder einen Schwank zum Besten. Ihnen den Auftritt zu verwehren, brachte angeblich Unglück.

Narrenpossen

Vornehme Familien beschäftigten oft einen Possenreißer, der auf der Burg für Unterhaltung sorgte. Narren wie Till Eulenspiegel trugen lächerlich wirkende Kostüme, schnitten Grimassen und stellten sich dumm. Sie sangen Lieder, erzählten lustige Geschichten und Witze, die manchmal sehr unanständig waren. Doch genossen sie „Narrenfreiheit": Sie durften hoch gestellte Personen parodieren und sich über andere lustig machen; oft wussten sie über geheime Klatschgeschichten Bescheid. Manche Narren waren außerdem geschickte Jongleure und Akrobaten.

NARRENSTAB

1 Zeichne mit einem Bleistift die Umrisse der Narrenkappe auf den gelben Karton. Zeichne die untere Ausbuchtung um die Styroporkugel herum.

2 Schneide die Kappe aus. Ziehe einen Streifen Kleber über die Hälfte der Mittellinie der Kugel. Klebe die Kappe auf diesen Klebestreifen.

Du brauchst: Bleistift, 24 x 19 cm gelben Karton, eine tennisballgroße Styroporkugel, Rundholz von 40 cm Länge und l cm Durchmesser, Schere, Kleber, Acrylfarben (Rot, Rosa, Braun, Weiß, Blau), Pinsel, 45 cm gelbes und rotes Band, Glöckchen, drei bunte Jonglierbälle.

ZWEI BÄLLE

1 Nimm in jede Hand einen Ball. Wirf beide Bälle gerade hoch und fange sie auf, wenn sie herunterfallen. Das ist der leichteste Schritt!

2 Wirf beide Bälle gleichzeitig hoch, sodass sie sich vor dir überkreuzen. Fange jeden Ball mit der gegenüberliegenden Hand auf.

3 Wirf jetzt wieder beide Bälle gerade hoch. Überkreuze dieses Mal aber deine Arme, um sie aufzufangen. Das bedarf einiger Übung.

Mit seinem lustigen bunten Aufzug macht sich der Narr über die modische Kleidung der Edelleute lustig. Um den Eindruck noch zu steigern, trägt er an Hemd und Ärmeln lange farbenfrohe Stoffstreifen. Auf seiner Mütze sind falsche Tierohren aufgenäht.

DREI BÄLLE

1 Halte die Bälle l und 3 in der Rechten (wenn du mit dieser Hand zuerst wirfst) und Ball 2 in der Linken. Stehe gerade, aber entspannt.

2 Wirf Ball l hoch und diagonal zur anderen Hand. Wirf, bevor er fällt, Ball 2 mit der Linken diagonal zur rechten Hand hinüber.

3 Fange Ball l mit der Linken. Bevor Ball 2 fällt, wirf Ball 3 hoch und diagonal zu deiner Linken. Mit einiger Übung klappt es.

3 Bohre mit der Scherenspitze unten ein Loch in die Kugel. Gib etwas Kleber hinein und stecke das Rundholz anschließend darin fest.

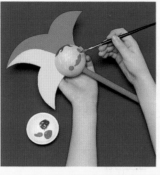

4 Male den Stab rot an. Wenn er trocken ist, bemalst du den Kopf: rosa die Haut, braun das Haar, die Augen blau usw. Male die Kappe zur Hälfte rot an.

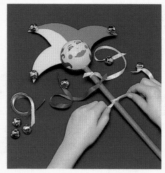

5 Klebe an die Spitzen der Kappe Glöckchen. Binde die anderen Glöckchen an die bunten Bänder. Wickle die Bänder um den Stab und knote sie fest.

Wichtige Leute trugen als Zeichen ihrer Würde häufig einen Stab, mit dem sie laut klopften, um für Aufmerksamkeit zu sorgen. Mit seinem kleinen Stab machte sich der Narr über Bischofsstab und Zepter lustig, deren Knauf oft wie ein Kopf geschnitzt war. Der Narrenstab besaß einen Narrenkopf; manchmal sah der Kopf ihm sogar ähnlich. Narren trugen mitunter auch eine Tierblase an einem Stock und schlugen damit nach Leuten. Auf Englisch nannte man das Slapstick. Unter einem Slapstick versteht man heute einen groben Streich unter Schauspielern in einem komischen Film; die berühmte Torte, die einem Komiker oder Clown ins Gesicht fliegt, ist ein typischer Slapstick.

4 Wirf den rechten Ball diagonal zu deinem Körper. Wirf, kurz bevor er fällt, den linken Ball diagonal deiner rechten Hand zu.

5 Fange den ersten Ball mit deiner linken Hand, aber lass dabei den anderen Ball in der Luft nicht aus den Augen. Fange diesen mit der rechten Hand auf.

Wenn du gut jonglieren kannst, solltest du versuchen, deine Vorstellung lustig zu gestalten. Du kannst beim Jonglieren Grimassen schneiden oder komische Geräusche machen. Vielleicht kannst du gleichzeitig sogar einen Witz erzählen! Die richtigen Narren und Jongleure, die nicht fest bei einem Burggrafen angestellt waren, wanderten von Burg zu Burg und traten auch auf Jahrmärkten auf. Sie verlangten für ihre Darbietungen nicht viel – vielleicht nur eine kleine Münze –, sodass sich auch arme Leute dieses Vergnügen leisten konnten.

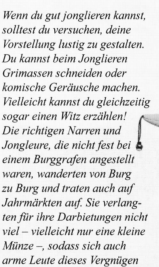

4 Fange Ball 2 mit der Rechten. Beobachte dabei Ball 3, den du zuletzt geworfen hast. Sieh nicht auf deine Hände, wenn du die Bälle fängst.

5 Fange den letzten Ball (3) mit der linken Hand. Damit hast du den ersten Jonglierzyklus abgeschlossen. Jetzt heißt es: Üben, üben, üben.

In der Burg

Hinter den abweisend wirkenden Mauern einer Burg verbirgt sich eine Welt im Kleinformat. Das Vorbild für unsere Zeichnung ist Goodrich Castle (England). Der mächtige Bergfried wurde um 1150 errichtet und im Laufe der Jahrhunderte von wechselnden Burggrafen allmählich zu einer großen Burg erweitert. Vier große Türme kamen hinzu, damit die wachsende Gemeinschaft der Bewohner zusätzliche Wohn- und Lagerräume erhielt. Unsere Zeichnung zeigt die Burg im frühen 15. Jh. Nur über eine Zugbrücke, unter der ein tiefer Graben verläuft, gelangt man in die Vorburg (Barbakane) und von dort über eine Rampe ins Torhaus.

◀ PRIVATGEMÄCHER

Der Burggraf und seine Frau bewohnten die am besten ausgestatteten Räume. An den Wänden hingen Wandteppiche; die Fenster waren mit Öltuch bespannt oder hatten Fensterläden aus Holz. Das Doppelbett hatte einen Himmel und Vorhänge, um die Schlafenden vor herabfallendem Ungeziefer und Kälte zu schützen.

DAS TORHAUS ▶

Hier haben die Wächter im Torhaus den Langbogen weggelegt, mit dem sie schneller schießen können. Nun legen sie hinter den kreuzförmigen Scharten die schlagkräftige Armbrust an.

▲ DIE KAPELLE

Der Burggraf und seine Gemahlin lassen eine Messe lesen. Der Priester hält einen Kelch mit Messwein in der Hand. Anschließend wird er ihn sicher im Tabernakel verwahren.

▲ IM RITTERSAAL

Der Burggraf verhängt über einen Gefangenen eine Strafe. Im Rittersaal treffen die Welt der Burg und die Außenwelt aufeinander. Hier werden wichtige Gäste bewirtet und Geschäfte erledigt. Die Bauern zahlen ihre Abgaben, und Kaufleute zeigen ihre Waren her.

LEGENDE

1 Küche
2 Wohn-und Lagerräume
3 Ställe
4 Rittersaal
5 Privatgemächer des Burggrafen
6 Bergfried
7 Saal

8 Kapelle
9 Fallgatter
10 Zugbrücke
11 Rampe
12 Barbakane
13 Wachraum
14 Aborterker
15 Graben
16 Felsen
17 Kerker

Religiöses Leben

Im Mittelalter war die Religion untrennbar mit dem Alltagsleben verbunden. Sie diente als Erklärung für alles, was die Menschen nicht verstanden. Katastrophen wie Unwetter, Seuchen und Hungersnöte wurden als Strafen Gottes angesehen. Wer fromm und mildtätig war, so glaubten die Menschen, dem könne kein Unheil geschehen. Es gab viele religiöse Feiertage, an denen die Arbeit ruhte; an solchen Tagen wurden Messen gefeiert, und Wanderschauspieler führten fromme Theaterstücke auf. Auch einfache Leute unternahmen weite und gefährliche Pilgerfahrten, zum Beispiel nach Rom und Jerusalem, um die Vergebung ihrer Sünden zu erlangen. Als das Heilige Land im Jahre 1071 von islamischen Herrschern erobert wurde, wurden im christlichen Europa Heere zusammengestellt, um die heiligen Stätten zurückzuerobern. Diese Unternehmungen wurden Kreuzzüge genannt; unter den Kreuzfahrern waren Ritter, aber auch Bauern und sogar Frauen und Kinder.

▲ KOSTBARE GEGENSTÄNDE
Solche Kelche und Hostienteller aus Silber und Gold wurden beim Gottesdienst benutzt und in der Kapelle sicher aufbewahrt. Sie zeigen, wie viel sich reiche Leute ihren Glauben kosten ließen. Wohlhabende Burggrafen konnten es sich oft leisten, mehrere Pfarrer zu beschäftigen. Die Kirche war reich und mächtig und besaß selbst zahlreiche Burgen in ganz Europa.

▲ IM NAMEN DES KREUZES
Mächtige Festungen wie Krak des Chevaliers in Syrien waren als Festungen islamischer Fürsten entstanden. Während der Kreuzzüge wurden viele von ihnen zeitweise von christlichen Rittern eingenommen. Die Johanniter, ein Kreuzritterorden, der auch kranke und verletzte Pilger pflegte, konnte Krak von 1142 bis 1271 halten. Die Festung hatte einen doppelten Mauerring und einen engen Zugang. Innen bauten die Mönche ein Kloster, riesige Lagerräume für Lebensmittel und eine Windmühle.

DEM HIMMEL NAH ▶
Diese Kapelle, die um 1180 im Bergfried von Dover Castle (England) eingerichtet wurde, ist sehr schlicht gehalten. Andere Burgkapellen waren reich geschmückt. Die Kapelle war häufig der höchstgelegene Raum in einer Burg; so war sie dem Himmel am nächsten. In manchen Burgen gab es zusätzlich eine große Kapelle im Hof für die Burgbewohner von niedrigem Rang.

GELEHRTE NONNE ▶

Die 1365 geborene französische Ordensfrau Christine de Pisan sitzt an ihrem Schreibpult. Mönche und Nonnen gehörten im Mittelalter der kleinen Minderheit der Bevölkerung an, die lesen und schreiben konnte. Christine de Pisan verfasste Dichtungen über tugendhafte Damen und Karl V. von Frankreich. Sie schrieb auch Bücher über Geschichte und Philosophie sowie Liebesdichtung und konnte damit ihre verarmte Familie ernähren. Erst 1415, im Alter von 50 Jahren, entschloss sie sich, ins Kloster zu gehen.

▲ VON BILDERN LERNEN

Solche kunstvollen Keramikkacheln zierten die Böden zahlreicher Kirchen und Kapellen. Sie waren mit Ornamenten versehen oder mit dem Wappen der Familie, die die Kapelle gestiftet hatte. Auch die Kirchenwände, Altäre und Glasfenster waren reich verziert mit biblischen Figuren und Szenen. Im Mittelalter konnten die meisten Menschen weder lesen noch schreiben. Die bunten Bilder brachten ihnen ohne Worte die Bibelgeschichten näher.

FÜR ALLE EWIGKEIT ▶

Kein Zweifel, hier ruht eine sehr fromme Edelfrau. Das beeindruckende Grabmal wurde für Katharina Parr, die sechste und letzte Frau von König Heinrich VIII. von England, geschaffen. Sie starb im Jahre 1548. Reiche Adelige hatten gewöhnlich in ihren Burgkapellen Familiengräber. Manche waren mit einer lebensgroßen Skulptur geschmückt; häufig waren Sockel und Liegefigur bunt bemalt. Priester und Mönche wurden von der Familie bezahlt, um nach dem Begräbnis das Grab zu besuchen und für die Seele der Verstorbenen zu beten.

Buchkunst

Etwa um das Jahr 1450 erfand Johannes Gutenberg den Buchdruck. Zuvor mussten Bücher mühsam von Hand abgeschrieben und bebildert werden. Deshalb waren Manuskripte, das heißt handschriftliche Bücher, wertvolle, seltene Kostbarkeiten. Häufig waren die Seiten kunstvoll illustriert und die Anfangsbuchstaben, die Initialen, farbenprächtig verziert. Nur in vornehmen Haushalten gab es ein Buch, zumeist die Bibel. Die meisten Bücher gab es in den Klosterbibliotheken; von dort stammen auch zahlreiche Texte, denen wir unser Wissen über das Leben im Mittelalter verdanken.

1 Stelle deinen Zirkel auf einen Radius von 6 cm ein. Stecke die Spitze in die Mitte des Blattes und ziehe einen Kreis mit 12 cm Durchmesser.

2 Ziehe einen zweiten Kreis, dessen Mitte 2 cm Abstand zur Mitte des ersten Kreises hat. Die Kreise sollen sich überschneiden.

Du brauchst: *Zirkel, Bleistift, 16 x 16 cm weißes Zeichenpapier, Lineal, Radiergummi, feine Pinsel, Acrylfarben, Goldfarbe, Schere, Papierkleber, 26 x 26 cm Fotokarton.*

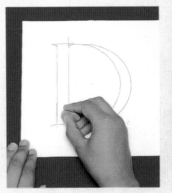  

4 Radiere die Kreislinien links von den Senkrechten aus. Ziehe mit dem Lineal zwei kurze Linien, die den Balken des D nach oben und unten abschließen.

5 Arbeite aus der inneren gebogenen Linie des D oben und unten zwei Schnörkel heraus. Zeichne ins Innere des D zwei einfache Spiralen ein.

6 Fülle den Innenraum weiter aus. Verdopple die gebogenen Linien zu Stängeln und Blättern und füge Blüten hinzu. Lass dich von der Vorlage anregen.

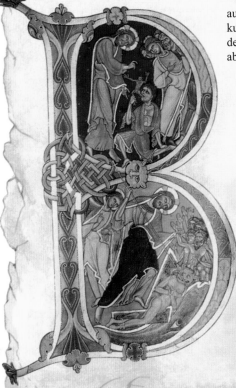

Der erste Buchstabe auf einer Seite wurde häufig besonders schön verziert. So wusste der Leser gleich, wo er mit dem Lesen anfangen sollte; die feine Zeichnung zeigte ihm überdies, wovon der Text handelte. Das Ausmalen der Buchstaben nannte man illuminieren, abgeleitet vom lateinischen Wort illuminare, das heißt erhellen; die bunten Farben sollten die Seiten erhellen. Diese mit Miniaturen verzierte Initiale stammt aus der Winchester-Bibel, die im 12. Jh. abgeschrieben wurde.

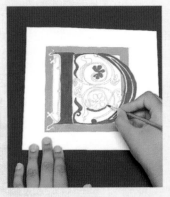 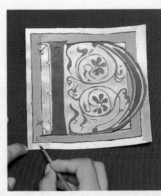

9 Male zuerst den Rand in einer lebhaften Farbe aus. Anschließend kommt die Initiale dran. Lass die Farbe trocknen, bevor du die nächste aufträgst.

10 Schneide dein Werk auf ein Quadrat mit 15 cm Seitenlänge zurück. Male dann den Hintergrund mit Goldfarbe aus. Lass das Bild trocknen.

3 Lege das Lineal links an die Kreise an. Ziehe vom oberen zum unteren Rand der Kreise im Abstand von 2 cm zwei senkrechte Linien.

Eadwine, ein Mönch, der um 1150 lebte, schreibt mit einem Federkiel; dabei drückt er die Seite mit einem Stäbchen flach. Die Schreibfedern waren Schwungfedern großer Vögel. Die Spitze wurde mit einem Messer schräg zugeschnitten. Wenn man die Feder ins Tintenfass tauchte, sammelte sich im hohlen Kiel etwas Tinte an. Bis etwa zum Jahr 1000 entstanden die meisten Handschriften in Klöstern. Der Raum, in dem die Mönche arbeiteten, wurde Skriptorium genannt. Das Schreiben wurde allmählich zu einem angesehenen Beruf und die Miniaturmalerei auch zu einer Kunst.

7 Ziehe links von dem senkrechten Balken des D zwei Linien. Schmücke sie oben und unten mit Schnörkeln und Blättern sowie weiteren Ornamenten.

8 Ziehe mit Bleistift und Lineal einen etwa 1,5 cm breiten Rand. Ziehe den rechten Rand zuletzt. Achte darauf, dass der Bogen über den Rand ragt.

11 Bestreiche die Rückseite mit Kleber. Lege deine Initiale auf die Mitte des farbigen Fotokartons und drücke es vorsichtig fest.

Lass dir beim Zeichnen und Ausmalen deiner Initiale Zeit. Die Mönche arbeiteten sehr schnell, aber auch sie konnten am Tag nicht mehr als zwei oder drei detailreiche Zeichnungen anfertigen. Bevor sie mit dem Schreiben und Zeichnen beginnen konnten, mussten erst Tierhäute durch Abkratzen, Einweichen und Trocknen zu Pergament verarbeitet werden. Papier war zu dieser Zeit in Europa noch kaum verbreitet. Die Federn wurden gesammelt, getrocknet und dann zum Schreiben zurechtgeschnitten. Tinten und Farben wurden aus mehreren Zutaten gemischt.

Edle Ritter

Um ein Ritter werden zu können, musste man nicht nur aus vornehmer Familie stammen, sondern auch Geld haben und viele Jahre trainieren. Eine Frau konnte ebenso wenig ein Ritter sein wie ein Bauer. Jungen aus wohlhabenden Familien wurden mit etwa sieben Jahren zu einer anderen adeligen Familie geschickt, der sie als Pagen dienten. Hier lernten sie manchmal auch ein wenig Lesen und Schreiben sowie Gesang, Tanz, Reiten und das Kämpfen mit dem Schwert. Mit vierzehn Jahren wurde aus dem Pagen ein Knappe, der einem Ritter diente. Er pflegte die Pferde und Waffen und begleitete ihn in die Schlacht. Dort lernte er zusammen mit anderen Knappen und Soldaten an der Seite seines Herrn zu kämpfen. Die Anforderungen waren hoch, und nicht alle Knappen stiegen zum Ritter auf. Viele starben auf den Schlachtfeldern. Hatten sie sich bewähren können und alle Proben überlebt, wurden sie mit ungefähr einundzwanzig Jahren zum Ritter geschlagen. Ritter ritten in einer bestimmten Ordnung in die Schlacht, meistens vor den Fußsoldaten. Sie waren kräftig, geschickt und schnell und wesentlich besser bewaffnet als die Fußsoldaten.

▲ BERUF FÜR REICHE
Ein Ritter musste über ein beträchtliches Vermögen verfügen, um sich die teure Ausrüstung leisten zu können. Schon im 9. Jh. bezahlte man für ein Kettenhemd so viel wie für sechs Ochsen. Das Schlachtross kostete so viel wie heute ein kleines Privatflugzeug. Zusammen mit der Rüstung war es vermutlich so viel wert, wie Bauern in ihrem ganzen Leben verdienten.

◄ HEILIGE KRIEGER
Diese Ritter gehören zum Orden der Tempelherren. Der Name ist vom Felsentempel in Jerusalem abgeleitet, der einst der Sitz des Ordens war. Die Ritter gelobten ähnlich wie Mönche, auf weltliche Güter zu verzichten, und kämpften in den Kreuzzügen. Im 14. Jh. fanden der Papst und der König von Frankreich, der Templerorden besäße zu viel Macht. Sie beschuldigten die Templer, vom christlichen Glauben abgewichen zu sein, und ließen den Großmeister und andere Angehörige des Ordens foltern und auf Scheiterhaufen verbrennen.

OHNE FEHL UND TADEL ▶
Ein junger Ritter zeigt sich ganz sanft. Von Rittern wurde Mut und Kühnheit erwartet, aber auch, dass sie eine Vielzahl von Tugenden besaßen. Sie sollten ehrlich sein und ihrem König oder Fürsten treu ergeben; gegenüber den Damen sollten sie sich höflich und galant zeigen. Sie sollten die Schwachen, die Witwen und Waisen beschützen und die Kirche und ihre Gebote achten. Nicht alle Ritter genügten diesen hohen Erwartungen.

BERUFSKILLER ▶

Den japanischen Samurai war es zunächst
erlaubt, zu Übungszwecken Menschen zu
köpfen. Später durften sie dann nur
noch töten, wenn jemand ihre
Ehre gekränkt hatte. Sie
standen im Dienst japa-
nischer Kriegsherren und
lebten auf deren Burgen.
Rechts ein berittener
Krieger des 13.
oder 14. Jh.
mit Schulter-
und Bein-
schutz. Er
kämpfte aus
der Entfernung
mit dem Bogen
und im Nahkampf
mit dem Schwert.

▲ RITTERSCHLAG

Ein romantisches Bild aus dem 19. Jh. beschwört den Augenblick
herauf, in dem ein Knappe zum Ritter geschlagen wird. Bei der
feierlichen Zeremonie gab ein König oder Fürst dem Kandidaten auf
jede Schulter einen leichten Schlag mit der flachen Schwertklinge und
ernannte ihn zum Ritter. Der frischgebackene Ritter, der die vorange-
gangene Nacht betend in der Kapelle verbracht hatte, gelobte seinem
Herrscher Treue und schwor, die Regeln des Ritterlebens einzuhalten.
Daraufhin erhielt er ein Schwert und Sporen.

◀ ALLZEIT KAMPFBEREIT

Auch im Leben der Ritter gab es Zeiten, in denen sie sich von den
Anstrengungen der Schlachten und Belagerungen erholen konnten. Doch
untätig waren sie dann nicht. Jederzeit musste mit einem Angriff von
Feinden gerechnet werden. Deshalb wurden der Umgang mit den Waffen
und das Kämpfen und Reiten in schweren Rüstungen fleißig geübt.
Außerdem hielten sich die Krieger mit Ringkämpfen, Speerwerfen,
Steineheben und Akrobatik fit.

Festliche Turniere

Ritter brauchten Situationen, die dem Kampfgeschehen möglichst ähnlich waren, um ihre Kampf- und Reitkünste zu erproben. Scheingefechte, Turniere genannt, kamen in Europa um das Jahr 1000 auf. Zwei Mannschaften von Rittern zu Pferd traten auf einer großen Wiese gegeneinander an. Die verwendeten Waffen waren echt, und so gab es häufig Tote und Verletzte. Die unterlegenen Ritter mussten den Siegern ihre Pferde und Rüstungen übergeben. Als im 13. Jh. bei Turnieren stumpfe Schwerter und kurze Lanzen eingeführt wurden, war dieser Sport nicht mehr ganz so blutig, obwohl es immer noch zu schweren Unfällen kam. Zweikämpfe, bei denen die Ritter aufeinander zugaloppierten und versuchten, sich mit Lanzen gegenseitig aus dem Sattel zu stoßen, waren besonders beliebt. Manchmal kämpften sie nach dem Sturz am Boden mit Schwertern weiter. Turniere waren auch gesellschaftliche Ereignisse: Teilnehmer und die Zuschauer präsentierten ihren Reichtum und ihre Macht. Die Ritter konnten sich durch Geschick und Mut hervortun und die Damen beeindrucken, die ihnen vielleicht zum Zeichen ihrer Gunst ein Schmuckstück oder ein Tuch zukommen ließen.

▲ VORSTELLUNG
Zu Beginn eines Turniers zeigten sich die Ritter zuerst den Damen. Vielleicht bat eine von ihnen ihren Favoriten, sich ihr Tuch um den Arm zu binden. Dann galoppierten beim Tjost oder Gestech zwei Ritter aufeinander zu. Über eine Barriere hinweg, die mitten in der Bahn aufgestellt war, versuchten sie sich mit langen Stechstangen vom Pferd zu stoßen.

▲ RÜSTUNG FÜRS PFERD
Hier führt ein Page ein Pferd zum Turnierplatz. Es trägt eine farbenfrohe Decke (Schabracke), schmuckverziertes Zaumzeug und einen Rossharnisch, der es vor Verletzungen schützt. Die Streitrösser stellten den wichtigsten Besitz der Ritter dar. Sie waren groß und schwer, aber so wendig wie die Spring- oder Militarypferde unserer Tage.

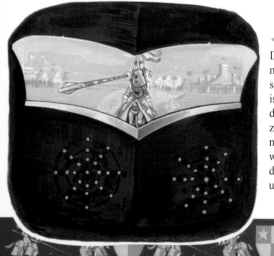

◀ FRONTALZUSAMMENSTOSS
Der Blick des Ritters auf einen auf ihn zustürmenden Gegner: Er sieht den anderen durch den schmalen Sehschlitz in seinem Helm. Der Helm ist aus Stahl und schützt den Kopf. Kurz vor dem Zusammenprall wird der Ritter den Kopf zurückreißen, damit der Gegner mit seiner Lanze nicht den Sehschlitz trifft und die Augen verletzt werden. Im günstigeren Fall trifft die Lanze nur den Schild, und der Ritter wird im Sattel bleiben und Punkte machen.

◀ AUFSTELLUNG

Zu Beginn eines Buhurt, eines Reitgefechts, stellen sich die Mannschaften prächtig geschmückt auf. Im Kampf werden sie versuchen, mit Keulen und stumpfen Schwertern den Gegnern die Helmzier vom Helm zu schlagen. Noch sind beide Parteien durch Seile voneinander getrennt, die Visiere sind hochgeschoben. Außerhalb der Schranken stehen Knappen bereit. Sie werden später gestürzten oder verletzten Rittern zu Hilfe eilen.

STECHHELM ▶

Stell dir vor, du müsstest diesen schweren Eisenhelm tragen, eine lange Lanze geschickt balancieren und gleichzeitig noch im scharfen Galopp ein Pferd reiten! Das Stechzeug, die Rüstung für das Turnier, war schwerer als die Rüstung für den Krieg, um die Verletzungsgefahr zu mindern. Die Pferde trugen unter ihrem Harnisch Strohpolster. Ein hoher Sattel bot dem Ritter Halt. Wenn ein Ritter verletzt wurde, konnten Richter die Gegner trennen. Sie konnten auch einen Ritter disqualifizieren, der unfair kämpfte, denn Mut und Ehre spielten eine große Rolle.

ERKENNUNGSZEICHEN

as Wappen ist das Erkennungszeichen es Ritters. Nur so kann er im Kampf-etümmel von seiner Partei ausgemacht erden. Er trägt es auf dem Schild, der affenschürze und den Schulterplatten. ier wird eine Situation aus der Mitte des ö. Jh. dargestellt: Die Turnierteilneh-er erhalten zu Beginn ihre Abzeichen nsignien), die am Stechzeug getragen erden. So können auch die Zuschauer die erüsteten Ritter erkennen und die Damen enjenigen Ritter, der ihre Gunst genießt, n Blick behalten.

AUFWÄRMTRAINING ▶

Die Ritter übten zunächst an einer Stechpuppe, bevor sie beim Turnier gegeneinander antraten. Wurde die Puppe nicht genau in der Mitte getroffen, drehte sie sich auf ihrer Achse, und das beweglich angebrachte Gewicht, der Flegel, traf den Reiter – und schlug ihn unter Umständen vom Pferd.

Ein eigenes Wappen

Im Kampfgetümmel waren die gerüsteten Ritter kaum voneinander zu unterscheiden. So entstand der Brauch, die Waffen (daher leitet sich das Wort Wappen ab) zu kennzeichnen. Die Schilde wurden mit farbigen Mustern versehen und ebenso Waffenschürze, Pferdedecke, Lanze und Helm. Jede adelige Familie, jeder Ritter hatte ein eigenes Wappen mit besonderer Bedeutung. Auf den Turnieren hatten Herolde die Aufgabe, die Ritter an ihrem Wappen zu erkennen und auszurufen. Daher nennt man die Wappenkunde auch Heraldik. Sämtliche Wappen sind in einem Wappenbuch verzeichnet.

Überlege, wie dein Wappen aussehen soll. Wir zeigen dir, wie sich ein Wappen ändert, wenn der Besitzer heiratet, Kinder bekommt und stirbt.

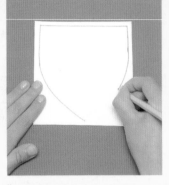

Ein einzelnes Symbol auf farbigem Hintergrund: Dies ist das Wappen eines unverheirateten Ritters ohne Kinder. Vielleicht wohnt er auf der Sternburg.

Du brauchst: *4 Bogen weißes Papier, je etwa 50 x 40 cm, Bleistift, Lineal, Pinsel, Malfarbe, zwei Stück Pappe, je etwa 50 x 40 cm, Schere, 53 x 43 cm Bastelfolie in Silber, Kleber, fünf Blatt A4 in Gold und vier verschiedenen anderen Farben, Klebeband.*

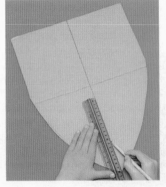

1 Zeichne auf die Pappen jeweils ein Schild und schneide sie aus. Lege eins beiseite und teile das andere in Viertel auf.

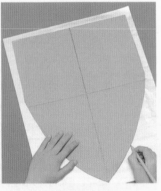

2 Lege einen Schildumriss auf die Silberfolie. Fahre mit einem Bleistift an den Kanten entlang, um den Umriss auf die Folie zu übertragen.

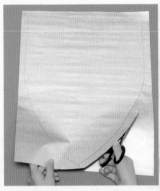

3 Schneide die Schildform aus der Silberfolie aus. Gib dabei auf allen Seiten 2 cm Rand dazu. Bestreiche die Silberfolie – ohne den Rand – mit Kleber.

Zunächst erhielten nur die Adeligen und Ritter vom Herrscher die Erlaubnis, ein Wappen zu führen. Später wurde dies auch Städten, Zünften und wichtigen Bürgern gestattet. Um Urkunden und andere Schriftstücke zu besiegeln, wurde ein Stempel mit dem Wappen in heißes Wachs gedrückt. Dieses eindrucksvolle Wappen trägt am unteren Rand den Wahlspruch des Besitzers, die Devise.

FLUMINA·AMEM

7 Lege auch die anderen Viertel auf Buntpapier, zeichne nach und schneide aus. Zeichne für jedes Viertel Ornamente und schneide sie aus.

8 Lege die Ornamente passend jeweils auf das Viertel des silbernen Schilds, für das sie bestimmt sind, und klebe sie anschließend auf.

ZWEITES WAPPEN

Das Wappen hat eine senkrechte Mittellinie bekommen: Der Ritter hat geheiratet! Sein Wappen kommt nach links, das seiner Frau nach rechts.

DRITTES WAPPEN

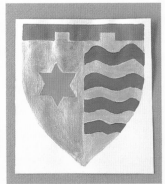

Das Wappen zeigt am oberen Rand über den Zeichen des Ritters und seiner Frau ein neues Muster. Es zeigt an, dass nun ein Kind da ist.

VIERTES WAPPEN

Das Wappen ist in vier Viertel geteilt. Die früheren Wappenzeichen stehen links. Daran sieht man, dass der Vater des Ritters tot ist.

Hier siehst du, wie kompliziert die Familienwappen sein konnten. Die Farben und Symbole spielten oft auf den Namen oder wichtige Ereignisse an. Das Bild zeigt einen Ritter mit einer reich bestickten Waffenschürze. Er ist außerdem von vier Wappen seiner Ahnen umgeben. Jedes Mal, wenn ein Wappen vom Vater auf den Sohn überging, wurden die Felder unterteilt. Schau genau hin, ob du wiederkehrende Muster und Symbole findest.

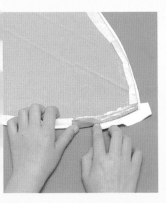

4 Lege den nicht unterteilten Pappschild auf die Klebefläche. Schneide den 2 cm breiten Rand mehrmals ein. Klebe die Ränder an der Rückseite fest.

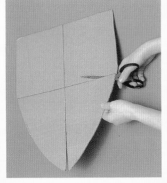

5 Nimm den in Viertel eingeteilten Pappschild und schneide entlang der gezogenen Linien. Diese Pappstücke dienen als Muster.

6 Lege eines der unteren Viertel auf das goldene Papier. Fahre mit einem Bleistift an den Kanten entlang. Entlang der Bleistiftlinie ausschneiden.

Dein Wappen kann etwas über dich erzählen. Wappen zeigten oft an, womit ihr Besitzer seinen Lebensunterhalt verdiente; so hatte zum Beispiel ein Weinhändler ein Fass im Wappen. Dein Wappen könnte die Berufe deiner Eltern oder dein Hobby anzeigen, etwa einen Pinsel, wenn du gerne malst. Oder es könnte eine Anspielung auf den Familiennamen sein. Ritter verwendeten häufig Symbole wie Löwen, Drachen, Vögel, Schwerter, Sterne oder Blumen. Traditionelle Farben waren Rot, Blau, Schwarz, Grün und Purpur.

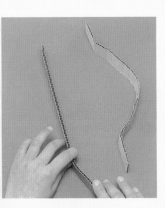

9 Schneide zwei 2 cm breite und über 30 cm lange Pappstreifen aus. Knicke sie in je etwa 2 cm Abstand vom Ende einmal um.

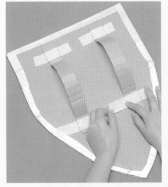

10 Lege die Pappstreifen als Griffe nebeneinander senkrecht auf die obere Schildrückseite. Befestige sie mit Klebeband.

Gut gerüstet

Je schlagkräftiger die Waffen wurden, desto besser musste die Rüstung den Körper schützen, und so veränderte sich im Laufe der Zeit die Panzerung. Im frühen Mittelalter war das wichtigste Stück der Rüstung ein Kettenhemd. Weil das Metall in der Sonne sehr heiß wurde, trug man darüber eine Waffenschürze, den Surkot. Mitunter drangen bei Verletzungen einzelne Kettenglieder in die Wunde ein und verursachten eine gefährliche Entzündung. Mitte des 13. Jh. ging man dazu über, an besonders gefährdeten Körperstellen wie den Schultern Platten in die Kettenrüstung einzufügen. Körperteile, die beweglich bleiben mussten, wie der Nacken, wurden weiterhin mit Kettengeflecht geschützt. Im 14. Jh. wurden Brust, Knie, Oberschenkel und Arme von Platten geschützt, und um 1420 umgab der Harnisch den Ritter wie ein Panzer. Pfeile und Schwerthiebe, die durch die Kettenhemden gedrungen waren, rutschten von den dicken Metallplatten ab. Harnischbauer oder Plattner und Waffenschmiede waren sehr gefragt und gehörten im Mittelalter zu den bestbezahlten Handwerkern. Sie schlossen sich zu Berufsverbänden, den Zünften, zusammen mit dem Ziel, für eine hohe Qualität der Produkte zu sorgen.

▲ KETTENPANZER

Um das Jahr 1000 waren die berittenen Krieger noch nicht so perfekt geschützt wie später. Dieser Normanne trägt einen eisernen Helm, einen mandelförmigen Schild, der an einem Riemen hängt, damit beide Hände zum Kampf gebraucht werden können, und eine Brünne, ein langes Kettenhemd. Ein Kettenhemd konnte aus mehreren zehntausend Ringen bestehen. Die Ringe wurden aus Draht hergestellt, den man um einen Stab wand und dann aufschnitt.

◀ BEZAHLTE TRUPPEN

Dieser Landsknecht aus der Zeit um 1550 trägt einen farbenprächtigen leichten Anzug. Handfeuerwaffen haben den plumpen Harnisch überflüssig gemacht; gekämpft wird zu Fuß. Landsknechte wurden bezahlt und meist nur für eine bestimmte Zeit angeworben. Die Waffen mussten sie selbst stellen. Im Auftrag eines Landesherrn zogen sie in den Krieg – in der Hoffnung auf reiche Beute. Blieb sie aus, zogen sie plündernd durch das Land.

SCHWERE LAST ▶

Um 1290 waren Pferd und Reiter sicher vor Pfeilen geschützt. Allerdings waren Bauch und Beine des Pferdes dem Angriff von Fußsoldaten schutzlos preisgegeben. Die Pferde trugen nur selten einen Harnisch, da die Panzerung sehr teuer war. Meist reichte es nur für eine Rossstirn. Der Harnisch des Reiters konnte bis 30 kg wiegen, sodass der Ritter sein Pferd nur von einem Podest aus besteigen konnte. Einige Ritter starben an Hitzschlag.

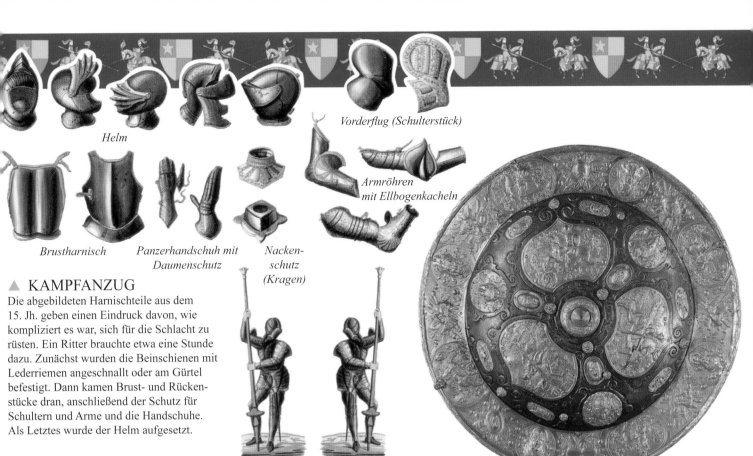

Helm

Vorderflug (Schulterstück)

*Armröhren
mit Ellbogenkacheln*

Brustharnisch

*Panzerhandschuh mit
Daumenschutz*

*Nacken-
schutz
(Kragen)*

▲ KAMPFANZUG

Die abgebildeten Harnischteile aus dem
15. Jh. geben einen Eindruck davon, wie
kompliziert es war, sich für die Schlacht zu
rüsten. Ein Ritter brauchte etwa eine Stunde
dazu. Zunächst wurden die Beinschienen mit
Lederriemen angeschnallt oder am Gürtel
befestigt. Dann kamen Brust- und Rücken-
stücke dran, anschließend der Schutz für
Schultern und Arme und die Handschuhe.
Als Letztes wurde der Helm aufgesetzt.

NEUE TECHNIKEN ▲

Um 1500 wurden zahlreiche neue Techniken erprobt und
die Verzierung der Rüstungen ungewöhnlich raffiniert. Die
Harnischbauer benutzten unterschiedliche Materialien, um
besondere Lichteffekte zu erzielen. Zuweilen wurden
die Ränder der Panzerplatten oder sogar ganze
Platten vergoldet. Dieser Schild aus Eisen
und Messing hat ein Reliefmuster und
einen aufwändig gefertigten Rand.
Durch Hitzebehandlung hat das Metall
einen bläulichen Ton erhalten; mit Säure
wurden feine Ornamente eingeätzt. Der
Schild ist leichter als ältere Modelle.
Weil die Kämpfer in der Schlacht
leicht und beweglich sein mussten,
war das ein großer Vorteil.

▲ KÖNIGLICHE PRACHT

1507 zieht König Ludwig XII. von Frankreich in den Krieg. Über dem
Harnisch trägt er einen Rock, der mit heraldischen Symbolen verziert
ist. Sein Pferd trägt eine dazu passende Schabracke. Durch die auf-
fällige Aufmachung ist der König auf dem Schlachtfeld jederzeit gut
zu erkennen und die Ritter können zu Hilfe eilen, wenn ihrem Herrn
Gefahr droht.

SAMURAI-
BOGENSCHÜTZE ▶

Die Rüstung eines japanischen Samurai
aus der Zeit um 1652 wirkt sehr schwer.
Sie war in sich jedoch so beweglich,
dass auch Bogenschützen zu Pferd sie
tragen konnten. Sie besteht aus kleinen
Eisenplatten, die mit Seide und Leder verbunden und mit Lack verziert sind.

Kopfschutz

In der Schlacht konnte ein guter Helm für einen Ritter lebensrettend sein. Das Vorbild des Helms, den wir basteln wollen, war aus Eisen geschmiedet, mit Messing verziert und sehr schwer und hinderlich. Im 12. Jh. wurden solche Topfhelme von Kreuzfahrern getragen. Topfhelme konnten Pfeile und Schwerthiebe allerdings nicht so gut ableiten wie gerundete Helme. Daher kamen im 14. Jh. runde Beckenhauben mit beweglichem Visier auf. Die Einführung von Scharnieren und Drehzapfen im 15. Jh. ermöglichte die Konstruktion eines Helms, der auf den Kopf gesetzt und dann fest verschlossen wurde. Ende des 16. Jh. maß man der Beweglichkeit der Kämpfenden wieder mehr Bedeutung zu, und es wurden leichtere Kopfbedeckungen aus Leder oder Messing getragen.

Du brauchst: Lineal, Bleistift, 2 Bogen A1 Silberkarton und 2 Bogen A1 Goldkarton, Cutter, Schneidebrett, Schere, Hefter, Klebeband, Zirkel, Kleber, Briefklammern aus Messing.

Der zweite Ritter von links trägt deinen Helm. Die Abbildung zeigt verschiedene Helme, Schilde und Sporen, die zwischen 1000 und 1400 gebräuchlich waren. Die älteste Rüstung ist links dargestellt, die jüngste ganz rechts. Unter dem Helm trug man gepolsterte Hauben, die mit Riemen festgezurrt wurden. Den Helm mit den schmalen Augenschlitzen und der Helmzier trug man ausschließlich zu Turnieren.

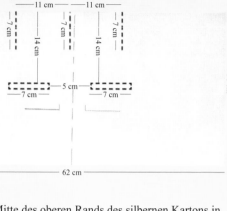

1 Markiere die Mitte des oberen Rands des silbernen Kartons in je 31 cm Entfernung von den Ecken. Ziehe mit einem Lineal von diesem Punkt an eine senkrechte, 7 cm lange, gestrichelte Linie. Markiere zwei Linien von je 7 cm Länge in 11 cm Entfernung von der Mitte. Zeichne Augenschlitze, deren oberer Rand 14 cm Abstand zum oberen Rand des Kartons hat.

4 Biege den Karton zur Röhre. Klammere die Ränder oben und unten zusammen. Bedecke die Kanten mit Klebeband, um ihn stabiler zu machen.

5 Zeichne einen Kreis von 20 cm Durchmesser auf den Silberkarton. Zeichne in den ersten einen zweiten Kreis mit 18 cm Durchmesser ein.

6 Schneide den größeren Kreis aus und schneide ihn in Abständen von 4 cm bis zur inneren Kreislinie ein. Laschen umbiegen und festkleben.

10 Schneide aus Goldkarton einen 62 x 2 cm Streifen. Tupfe auf die Rückseite Kleber und lege das goldene Band um den oberen Rand des Helms.

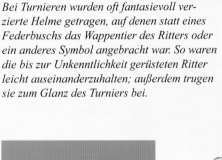

2 Schneide die Augenschlitze aus. Schneide dann einen 62 x 4 cm Streifen Goldkarton. Lege ihn über den Helm und schneide auch daraus die Schlitze aus.

3 Schneide den Silberkarton entlang der drei 7 cm langen Linien ein. Klammere den Karton an diesen Schnitten so zusammen, dass der Helm rund wird.

Bei Turnieren wurden oft fantasievoll verzierte Helme getragen, auf denen statt eines Federbuschs das Wappentier des Ritters oder ein anderes Symbol angebracht war. So waren die bis zur Unkenntlichkeit gerüsteten Ritter leicht auseinanderzuhalten; außerdem trugen sie zum Glanz des Turniers bei.

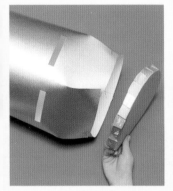

7 Tupfe auf den äußeren Rand dieses Helmdeckels Kleber und füge ihn vorsichtig als oberen Abschluss in den Helm ein. Anschließend festkleben.

8 Schneide einen 30 x 4 cm langen Streifen Goldkarton an einem Ende spitz zu. Das andere Ende wie im Bild einschneiden und zusammenklammern.

9 Klebe den goldenen Streifen mit den Augenschlitzen über den Helm, sodass die Schlitze übereinanderliegen. Klammere die Nasenschiene fest.

11 Stich mit der Zirkelspitze auf jede „Wange" des Helms vier Löcher. Stich entlang der goldenen Nasenschiene drei Löcher.

12 Stecke in jedes Loch eine Briefklammer. Decke die Klammern auf der Rückseite mit Klebeband ab, damit sie dich nicht verletzen.

Zwischen 1095 und 1272 verließen viele europäische Edelleute und Ritter ihre Burgen. Sie wollten nach Palästina ziehen, um das so genannte Heilige Land von der islamischen Herrschaft zu befreien. Die Kreuzritter trugen ein Kettenhemd, darüber einen Waffenrock aus Stoff und einen Topfhelm. Die europäischen Waffenschmiede übernahmen von den islamischen Völkern, die für ihre Meisterschaft in der Schmiedekunst berühmt waren, wertvolle Anregungen.

Tödliche Waffen

Armbrust und Bogen waren im Mittelalter wirkungsvolle Waffen, und gute Schützen waren sehr geachtet. Geübte Langbogenschützen konnten den Angriff anstürmender Reiter bereits aus sicherer Entfernung stoppen. Die Pfeile der Armbrustschützen durchdrangen selbst Rüstungen und Helme. Im Nahkampf wurden dann Hieb- und Stichwaffen eingesetzt. Das einfache Fußvolk war mit Spieß oder Hellebarde bewehrt, das sind lange Stangenwaffen mit Eisenspitze und Reißhaken. Ritter kämpften vom Sattel aus mit Schwert und Lanze. Außerdem setzten sie Dolche, Streitäxte, Keulen und Morgensterne ein. Als vornehmste Waffe wurde jedoch immer das Schwert angesehen. In den Griff waren häufig Edelsteine eingelegt oder sogar Reliquien (Überreste oder Gegenstände von Heiligen). Erst im 15. Jh. wurden beim Angriff auf Burgen Kanonen eingesetzt. Zu dieser Zeit hatten die Geschütze bereits Räder, sodass es möglich war, sie zu transportieren.

▲ SCHARFE KLINGEN

Ein japanischer Samurai greift an. Er ist bewaffnet mit Pfeil und Bogen; in der Hand hält er das Langschwert oder Katana, die wichtigste Waffe der Samurai. Damit es sicher in der Hand liegt, ist der Griff mit Rochenhaut überzogen und mit Seidenband umwickelt. Zum Schutz wird die messerscharfe Klinge in eine Scheide aus lackiertem Holz gesteckt, die Saya. Jeder Samurai trug außerdem ein Kurzschwert, genannt Wakizashi.

LANGES NACH- LADEN ▶

Die Schlacht hat ihren Höhepunkt erreicht. Die Waffe des Armbrustschützen ist äußerst schlagkräftig und präzise. Bei einem Schuss aus 50 m Entfernung kann der Bolzen mit seiner scharfen Stahlspitze selbst die dickste Panzerung durchbohren. Doch auch der Armbrustschütze ist in Gefahr, denn das Nachladen dauert lange. Wegen der hohen Zugkraft wird eine Winde benötigt, um die Armbrust nachzuspannen.

REICHWEITE ▶

Ein guter Langbogenschütze schoss seine Pfeile ungefähr 250 m weit. Deshalb konnten die Schützen einer Burg die heranrückenden Feinde schon lange, bevor diese die Burg erreichten, unter Beschuss nehmen. Die Langbögen waren meist aus leichtem, biegsamen Eibenholz und so hoch wie der Schütze. In der gleichen Zeit, in der ein Armbrustschütze ein- oder zweimal nachlud, konnte ein Bogenschütze bis zu zwölf Pfeile abschießen.

◀ NAHKAMPF

Schwerter mit spitzer Klinge (links) wurden als Hieb-
und Stichwaffen eingesetzt, solche mit runder Spitze
(rechts) als einfache Hiebwaffen. Im 14. Jh. kamen
große Zweihänder in Gebrauch, die nur die stärksten
Männer zu führen vermochten. Hohlkehlen in der Klinge
sollten das Gewicht der schweren Waffe verringern.

Mit dem Morgenstern wurden Gegner
bekämpft, die hinter einem Schild
Deckung suchten. Geübte Kämpfer
schwangen ihn so, dass die Kugel um
den Schild herum traf. War ein Ritter
gestürzt, konnte ihn auch sein Helm
nicht mehr vor den Hieben der Keule
schützen.

*Schwert mit
runder Spitze*

Morgenstern

Keule

*Schwert mit
scharfer Spitze*

▲ ANGRIFF AUF DIE FESTUNG

Die Waffen dieser Kämpfer sehen nicht so aus, als könnte man mit ihnen
eine Festung einnehmen. Der Armbrustschütze zielt nach oben, damit
der Bolzen über die Burgmauern fliegt. Bei dem hier dargestellten Angriff (auf Poitiers im 15. Jh.) wurden auch kleine Kanonen abgefeuert,
aber die Schüsse waren weder durchschlagend noch genau. Die Angreifer boten darüber hinaus ein gut sichtbares Ziel; ihr einziger Schutz war
die Pavese, ein großer gebogener Schild.

◀ GEFÄHRLICHER KANONENSCHLAG

Kanonenkugeln aus Stein oder Metall wie diese konnten
zwar Löcher in die Mauern der Befestigungsanlagen schlagen. Bis ins 15. Jh. hinein waren
allerdings nur wenige Geschütze in der Lage,
großen Schaden anzurichten. Die ersten
Kanonen, die im frühen 14. Jh. in Europa
eingesetzt wurden, waren am
gefährlichsten für die Schützen,

sie abfeuerten: Das Schießpulver
explodierte manchmal schon im

Belagerung

▲ WURFMASCHINEN

Die Soldaten, die dieses riesige Katapult bedienen, stehen in sicherer Entfernung zur Burg. Katapulte konnten Geschosse über größere Entfernungen schleudern. Sie sollten die Verteidigungsanlagen beschädigen und nach Möglichkeit Breschen in die Mauern schlagen, durch die die Belagerer die Burg stürmen konnten. Manchmal wurden aber auch Kotkübel über die Mauern geschossen, um die Brunnen zu vergiften, oder gefüllte Bienenkörbe.

Sollte eine Burg erobert werden, so wurde sie von den Angreifern als Erstes umzingelt. Dann ließ der Anführer die Bewohner fragen, ob sie sich kampflos ergeben wollten. Wenn sie sich weigerten, belagerten die Angreifer die Burg so lange, bis ihren Bewohnern Nahrung und Wasser ausging. Aber das konnte lange dauern und verursachte hohe Kosten. Schneller ging es, wenn die Belagerer versuchten, in die Burg einzudringen. Dazu beschossen sie zunächst die Burgmauern mit Kriegsmaschinen. Mit Katapulten konnte man große Steinbrocken auf Schwachstellen der Burg schleudern, zum Beispiel auf Holzdächer. Eine Balliste war eine riesige Armbrust auf Rädern. Sie schoss große und schwere Bolzen ab, deren Spitze aus brennbarem Material bestand und angezündet wurde, um Gebäudeteile aus Holz in Brand zu setzen. Viele Belagerungsmaschinen waren so groß und schwer, dass sie vor Ort angefertigt oder aus Teilen zusammengesetzt werden mussten. Wenn ein Wassergraben die Festung umgab, musste die Angreifer ihn mit Gestein auffüllen oder eine Brücke bauen – unter dem ständigen Beschuss der Verteidiger. Fehlte der Wassergraben, dann konnten sie Gänge unter die Mauern graben, um sie zum Einstürzen zu bringen, oder einen Tunnel ins Innere der Burg anlegen. Oft erhielten die Feinde Zugang, indem sie die Wachen bestachen. Viele Burgen ergaben sich nach einigen Tagen Belagerung oder die beiden Seiten handelten einen Waffenstillstand aus.

◄ SCHILDKRÖTE

Unter den Schilden sind die angreifenden römischen Soldaten vor Wurfgeschossen sicher. Der riesige Schild erinnert an den Panzer einer Schildkröte; die einzelnen Schilde mussten einander mit den Rändern berühren, damit es keine Lücken gab, durch die Speere und Pfeile dringen konnten. Auch Soldaten späterer Zeiten stellten sich zur römischen Schildkröte auf. Eine Weiterentwicklung stellten große Holzschilde auf Rädern dar.

◀ EBENHÖHE

Von den oberen Etagen eines Holzturmes schießen die Bogenschützen ihre Pfeile direkt auf die Wehrgänge ab. Der Belagerungsturm oder die Ebenhöhe wurde bis vor die Mauern der Burg gerollt. Dann ließen die Angreifer eine Zugbrücke herunter und stürmten in die Burg. Die Stockwerke des Turms waren durch Leitern verbunden. Wenn oben Soldaten getötet oder verletzt wurden, konnten andere von unten hochklettern und sie ersetzen. Damit Brandpfeile dem Holzturm nichts anhaben konnten, wurde er mit feuchten Tierhäuten behängt.

▲ GEFÄHRLICHER AUFSTIEG

Französische Soldaten greifen im Jahre 1443 ein englisches Heerlager an. Die Männer, die auf Leitern die Befestigungsmauern erklettern, sind ganz ohne Schutz. Die Verteidiger konnten sie von den Wehrgängen aus mit Pfeilen beschießen, sie mit Steinen bewerfen oder siedendes Wasser auf sie hinabgießen. Oder sie warfen einfach die Leitern um. Manchmal bauten die Angreifer durch Schutzschilde gesicherte Leitern.

◀ RAMMBOCK

Das massive Burgtor gibt unter den Stößen eines Rammbocks nach. Die ersten Ramm- oder Sturmböcke waren schwere Baumstämme, die an einem Ende mit Metall beschlagen waren. Sie waren so schwer, dass mehrere Soldaten sie tragen und gegen Mauern oder Tore stoßen mussten. Später hingen die Rammböcke an Ketten von Gestellen, die Räder oder Kufen haben konnten. Manchmal besaß das Gestell eine Verkleidung, in deren Schutz die Männer ihrer Aufgabe relativ ungestört nachgingen.

▲ KAMPFMASCHINE

Im späten 15. Jh. konnte man Befestigungsanlagen mit Schießpulver und Kanonen wirksamer zerstören als mit Rammböcken. Diese deutsche mit Lanzen gerüstete Kampfmaschine besitzt vier Rohre, aus denen gefeuert wurde. Die Vorläufer der Granaten waren die Petarden: mit Schießpulver gefüllte Eisengefäße, die gezündet und Richtung Feind geworfen oder gerollt wurden.

Wurfmaschinen

Es kostete viel Zeit, eine Belagerung vorzubereiten. Wurfmaschinen wie diese, die wir basteln wollen, spielten zu Beginn einer Belagerung eine große Rolle. Sie sollten bereits aus der Entfernung die Verteidigung der Festung schwächen; erst danach wagten sich die Fußsoldaten näher an den umstellten Feind heran. Ein heftiger Beschuss mit Felsbrocken und Brandgeschossen sollte möglichst viele Verteidiger töten oder kampfunfähig machen. Die kräftigsten Wurfmaschinen konnten Felsbrocken von bis zu 90 kg schleudern. Besonders treffsicher waren jedoch kleine, mit Rädern versehene und leicht zu handhabende Wurfmaschinen.

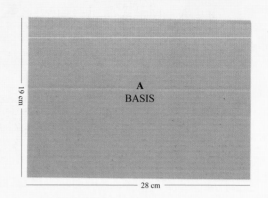

A
BASIS

19 cm

28 cm

C MITTELSTÜTZE

16,5 cm

3 cm

1 Übertrage die Muster mit den angegebenen Maßen auf die dicke Pappe. Bitte einen Erwachsenen, dir beim Schneiden mit Cutter und Lineal zu helfen. Nimm ein Schneidebrett als Unterlage.

B QUERBALKEN
x 2

3 cm

8,5 cm

Du brauchst: 28 x 25 cm dicke Pappe, Lineal, Bleistift, Cutter, Schneidebrett, zwei Stücke Balsaholz 28 x 1 cm und zwei Stücke Balsaholz 16,5 x 1 cm als Rand für die Grundplatte, Holzleim, Zirkel, zwei Stücke Balsaholz 20 x 3,5 x 0,5 cm für die Seitenstützen, 22 cm Balsarundholz in 5 mm Stärke, 32 cm Balsarundholz in 5 mm Stärke, 4 quadratische Balsaholzstücke mit 25 cm Seitenlänge und 5 mm Stärke, Schnur, lufttrocknende Modelliermasse, Streichholzschachtel (Innenteil), Acrylfarben, Borstenpinsel.

Es gab verschiedene Wurfmaschinen, die alle nach dem gleichen Prinzip arbeiteten wie dieser Tribock. An einem Ende eines beweglichen Hebels saß das Geschoss, am anderen ein schweres Gegengewicht. Mithilfe einer Winde und viel Manneskraft wurde das Gewicht nach oben gezogen. Dann kappte man die Seile, das Gewicht stürzte nach unten, und das Geschoss wurde mit hoher Geschwindigkeit über die Burgmauern geschleudert. Einige dieser Maschinen hatten 18 m lange Hebel. Wenn es auf rasches Laden ankam, verwendete man kleine Steinbrocken.

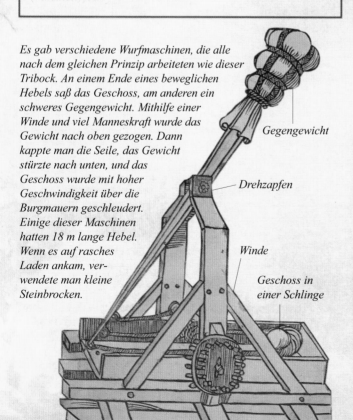

Gegengewicht

Drehzapfen

Winde

Geschoss in einer Schlinge

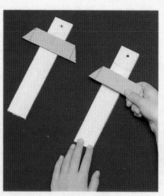

6 Lege die 20 cm langen Seitenstützen auf die Arbeitsfläche. Klebe die Querbalken unter die Löcher etwa 3,5 cm unterhalb der Kante.

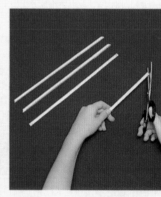

7 Lege vier der 25 cm langen Rundhölzer auf die Arbeitsfläche. Bitte einen Erwachsenen, die Hölzer in einem Winkel von 45° schräg abzuschneiden.

10 Lege die 22 cm und 32 cm langen Rundhölzer in 9 cm Abstand von einem Ende des längeren über Kreuz. Binde sie mit Schnur zusammen.

11 Forme aus der lufttrocknenden Modelliermasse Kugeln. Eine sollte 5 cm Durchmesser haben, die anderen können kleiner sein.

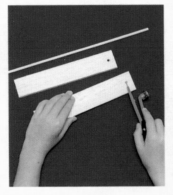

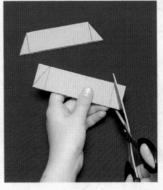

2 Lege dir die rechteckige Basis A zurecht. Klebe die 28 cm und 16,5 cm langen Balsaholzstreifen mit Holzleim auf die Ränder der Basis.

3 Stich mit der Zirkelspitze wie abgebildet in jeden der 20 cm langen Balsaholzstreifen ein Loch: Dies sind die Seitenstützen.

4 Verbreitere die Löcher vorsichtig durch Drehen mit der Zirkelspitze, bis das Balsarundholz wie abgebildet gut hineinpasst und fest sitzt.

5 Ziehe auf den Querbalken B mithilfe eines Lineals Linien in 1 cm Abstand zur Kante. Schneide diagonal von der Ecke zur Linie.

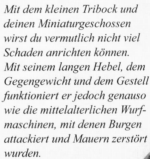

Mit dem kleinen Tribock und deinen Miniaturgeschossen wirst du vermutlich nicht viel Schaden anrichten können. Mit seinem langen Hebel, dem Gegengewicht und dem Gestell funktioniert er jedoch genauso wie die mittelalterlichen Wurfmaschinen, mit denen Burgen attackiert und Mauern zerstört wurden.

8 Klebe die Stützen auf die langen Seiten. Klebe die 25 cm langen Holzstreifen in 2,5 cm Abstand von den Ecken so auf, dass sie ein Dreieck bilden.

9 Streiche auf die beiden kurzen Kanten der 16,5 cm langen Mittelstütze Kleber. Füge sie zwischen die Seitenstützen in etwa 9 cm Höhe ein.

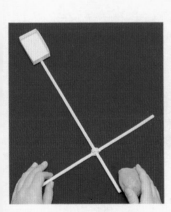

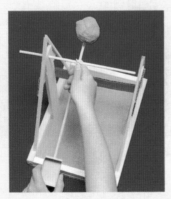

12 Klebe die Streichholzschachtel auf den langen Arm der gekreuzten Hölzer. Stecke die noch feuchte große Kugel auf das andere Ende.

13 Stecke die Enden des kurzen Rundholzes in die Löcher der Seitenstützen. Male anschließend das Modell an.

Verteidigung

Eine große Burg bot zahlreiche Möglichkeiten, Angreifer in Fallen zu locken, zu verwunden oder zu töten. Die Verteidiger warfen von den Wehrgängen Steine herab oder gossen kochendes Wasser hinunter. Schützen nahmen auf den Türmen und hinter Zinnen Aufstellung, um durch Schießscharten auf Feinde zu schießen, die die Burg belagerten oder versuchten, die Mauern zu erklimmen. Schmale Tore waren schwer zu erkennen und leicht zu verteidigen. Die Burgbewohner konnten unbemerkt herausschlüpfen und die Angreifer selbst überraschend angreifen.

Der Haupteingang der Burg war eine Schwachstelle. Er war durch ein Torhaus und durch ein schweres Fallgatter geschützt. Gab es einen Graben, so wurde die Zugbrücke heraufgezogen, und die Burg verwandelte sich in eine Insel. Auch in der Burg konnten hohe Holztürme aufgestellt werden, von denen aus auf die Feinde vor den Mauern geschossen wurde. Der Erfolg der Verteidiger hing stark vom Kampfgeist und der Treue der Verteidiger zum Burggrafen ab und davon, ob genug Wasser, Lebensmittel, Waffen und Geschosse vorhanden waren. Am gefährlichsten waren Verräter, die den Feind unterstützten, und der Hunger.

▲ IM VERBORGENEN

Geheimgänge wie dieser waren vielleicht von den Verteidigern während einer Belagerung angelegt worden. Durch einen solchen Tunnel konnten sie Vorräte hereinschmuggeln. Unterirdische Kampfgänge konnten aber auch von den Belagerern gegraben werden. Sie stützten den Gang mit Holzpfosten ab; wenn er lang genug war, zündeten sie die Pfosten an und rannten hinaus. Der Tunnel stürzte dann ein – und mit ihm die Burgmauern. Runde Bauten stürzen nicht so leicht ein wie eckige, deshalb hatten viele Burgen runde Türme.

▲ GEFAHR VON OBEN

Kochendes Wasser und Wurfgeschosse kamen durch solche Gießlöcher, die man oft im Deckengewölbe des Torganges sieht, auf die Angreifer herab. Die Angreifer konnten hier leicht durch die Fallgatter eingesperrt und dann von oben angegriffen werden.

▲ SCHÜTZENDES GEWÄSSER

Wassergräben wie hier in Bodian Castle (England) erschwerten einen Angriff aus nächster Nähe beträchtlich. Außerdem war es fast unmöglich, die Mauern durch Tunnel zu unterminieren, da das Wasser sofort in die Gänge geströmt wäre. Die Angreifer mussten einen Wassergraben zuerst abfließen lassen, auffüllen oder überbrücken, wenn sie nicht unter schwerem Beschuss mit Booten übersetzen oder schwimmen wollten.

SCHANZKLEIDER
Die Turmzinnen von Burg Liechtenstein sind mit Schanzkleidern umbaut. Die hölzernen Korridore schützten die Soldaten, die durch die Scharten schießen oder durch Löcher im Boden Geschosse herabwerfen konnten, ohne sich zwischen den Zinnen herauslehnen zu müssen. Die Schanzkleider wurden gebaut, wenn man mit einer Belagerung rechnen musste. Wenn sie diese unbeschädigt überstanden hatten, ließ man sie häufig stehen.

DOPPELT GESICHERT ▶
Aus der Luft kann man den Zweck der doppelten Ringmauer von Beaumaris Castle gut erkennen. Wenn die Angreifer die Außenmauer überwunden hatten, saßen sie zwischen den beiden Ringmauern in der Falle, denn nun konnten die Belagerten sie bequem angreifen. Ursprünglich waren die Ringmauern von einem mit Meerwasser gefüllten Graben umgeben. Die Außenmauer sollte 16 Türme haben, die innere sechs; außerdem sollte es noch zwei Torhäuser mit Doppeltürmen geben. Doch die Burg wurde nie vollendet. 1295 wurde mit ihrem Bau begonnen, der 1300 abgebrochen wurde, weil der Krieg, für den sie errichtet wurde, zu Ende gegangen war.

ZEITALTER DER KANONEN ▶
Diese Kanonen sind auf einer niedrig ummauerten Geschützgalerie aufgestellt worden. Die Schützen hatten von hier aus einen guten Überblick über die Umgebung, boten aber dem Feind kein leichtes Ziel. Die Burg, zu der sie gehören, wurde von König Heinrich VIII. im Jahre 1530 erbaut und war Teil einer Kette von Befestigungsanlagen entlang der englischen Küste. Zu dieser Zeit entstanden ausschließlich zu militärischen Zwecken bestimmte Festungen, in denen nur Soldaten lebten. Anders als die früheren Burgen waren sie keine Wohnhäuser mehr.

Kampf am Torhaus

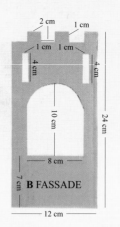
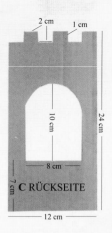

D er Eingang zur Burg war ein empfindlicher Bereich und musste so gut wie möglich geschützt werden. Hier wachten immer Soldaten. Das schwere Fallgatter war aus Eisen. Gut geschützte Burgen hatten einen Wassergraben und eine Zugbrücke, die bei Gefahr rasch hochgezogen werden konnte. Meistens lag vor dem Burggraben zusätzlich eine Barbakane, eine Vorburg, von der aus die Zugbrücke verteidigt werden konnte (siehe Seite 33). Erst wenn die Angreifer die Barbakane eingenommen hatten, konnten sie zum inneren Torhaus vordringen. Manchmal war das innere Tor nur über eine schmale Rampe zu erreichen, auf der die Eindringlinge den Verteidigern schutzlos ausgeliefert waren. War das Torhaus erobert, lag die Burg in der Hand der Feinde. Manchmal gelang es den Burgbewohnern im letzten Moment, durch einen geheimen Gang zu fliehen.

Du brauchst: *50 x 76 cm dicke Pappe, Bleistift, Lineal, Cutter, Schneidebrett, Kleber, Klebeband, Keramikmasse, 2 Streifen Balsaholz 22 x 0,5 cm, 2 Balsarundhölzer von 8 cm Länge und 5 mm Stärke, 1 Schaschlikstäbchen auf 8,5 cm Länge geschnitten, 11 x 7,5 cm Balsaholz mit 5 mm Stärke, 2 dünne Ketten oder Schnüre von 10 cm Länge, Reißbrettstifte, Acrylfarben, einen feinen und einen dicken Pinsel.*

Torhäuser mussten vergleichsweise groß und sehr massiv sein, denn hier war die Hebevorrichtung der Fallgatter untergebracht, die du auf diesem Foto siehst. Die dicken Taue liefen über Flaschenzüge und eine große Winde. Die Winde wurde von den Torwächtern mit Kurbeln gedreht. Die Taue liefen über die Rollen der Flaschenzüge, dadurch war weniger Kraftaufwand nötig. Wurde die Burg angegriffen, konnte das Fallgatter mittels schwerer Gewichte sehr schnell heruntergelassen werden.

1 Übertrage die Muster entsprechend den Größenangaben auf die dicke Pappe. Bitte einen Erwachsenen, dir beim Schneiden mit Messer und Lineal zu helfen. Den Torbogen kannst du leicht zeichnen, indem du ein Glas oder eine große Rolle Klebeband auf das Papier legst und mit dem Bleistift außen daran entlangfährst.

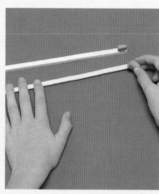

4 Knete die Keramikmasse gut durch, lege sie auf dein Schneidebrett und schneide zwei Stücke mit den Maßen 2 x 1 x 1,5 cm ab; forme sie zu Blöcken.

5 Diese Blöcke sind die Gegengewichte für die Zugbrücke. Klebe sie, wenn sie trocken sind, auf die Enden der beiden 22 cm langen Balsaholzstreifen.

9 Stecke die Enden des Schaschlikstäbchens in die gewellte Innenseite der Pappe im Tor der Fassade, um die Zugbrücke einzuhängen.

2 cm 1 cm

24 cm

D SEITENWAND

12 cm

12 cm

A BASIS
x 2

12 cm

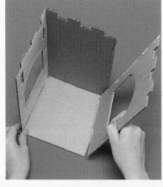

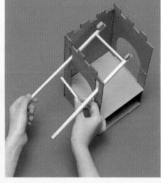

2 Klebe die Fassade B, die Seitenwand D und die Rückseite C an die Basis A. Verstärke die Verbindungsstellen mit Band, wenn der Kleber trocken ist.

3 Streiche Kleber auf drei Kanten der zweiten Basis A. Schiebe sie waagerecht unter den Toren ins Torhaus ein.

Das Fallgatter gleitet in Schienen, die in das Tor eingelassen sind. Das schwere Eisengeflecht wurde mit einer Winde und Flaschenzügen an Tauen hochgezogen und heruntergelassen. Die Wachen mussten die Vorrichtung sehr schnell bedienen, wenn sie die Angreifer abwehren wollten.

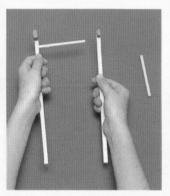

6 Klebe wie abgebildet etwa 1 cm von den Gewichten entfernt eines der Rundhölzer als Verbindung zwischen die beiden Balsaholzstreifen.

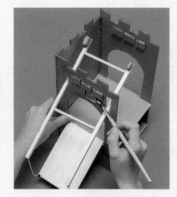

7 Stecke die Stangen vom Inneren des Torhauses nach außen durch die Schlitze in der Fassade. Klebe das zweite Rundholz wie abgebildet ein.

8 Klebe das Schaschlikstäbchen auf das 11 x 7,5 cm große Balsaholzstück – die Zugbrücke. Befestige es mit Klebeband.

Unser Torhausmodell ist auf einer Seite offen, damit du die Zugbrücke hoch- und herunterlassen kannst, indem du die Gegengewichte nach unten oder oben drückst. In Wirklichkeit waren die Ketten mit Winden im Inneren des Torhauses oder in der Barbakane verbunden.

10 Befestige die Ketten mit Reißbrettstiften an den Balsaholzstreifen und vorne an der Zugbrücke. Du kannst auch Fäden nehmen.

11 Schneide etwa zehn kleine Rechtecke (1 x 1,5 cm) aus Karton aus. Klebe sie ungeordnet auf die Wände. Male Torhaus und Zugbrücke an.

Unrecht und Strafe

Der Burggraf war für die Menschen, die in seiner Herrschaft lebten, gleichzeitig der oberste Richtherr. Er schlichtete Streit und verhängte Strafen. Die Strafen richteten sich nach der begangenen Untat: Dieben hackte man mitunter eine Hand ab. Wer andere beleidigte oder Lügen verbreitete, riskierte seine Zunge. Raub konnte ebenso wie das Anstiften von Widerstand gegen den Fürsten mit dem Tod durch Erhängen bestraft werden. Manchmal kamen die Verurteilten mit einer Geldstrafe davon oder sie zahlten in Naturalien. Eingesperrt wurden nur Menschen, die man für gefährlich hielt, feindliche Ritter etwa. Doch nur wenige Burgen verfügten über Kerker oder Verliese. Gefangene wurden daher häufig in verschließbaren Lagerräumen untergebracht. Eigens gebaute Kerker befanden sich meist nahe dem bewachten Torhaus. Gefangene Ritter oder Edelleute wurden nur gegen Zahlung von Lösegeld wieder freigelassen. Damit sie ihre Gefangenschaft heil überstanden und Geld einbrachten, wurden sie pfleglich behandelt. Wenn sie ihr Wort gegeben hatten, nicht zu fliehen, durften sie sich innerhalb der Burg frei bewegen.

▲ TOD IM KERKER

Wenn der eingekerkte Gefangene reich oder mächtig war, wurde Lösegeld gefordert. So konnte sich die Familie für seine Befreiung einsetzen. Arme Gefangene dagegen waren nicht selten dazu verdammt, ihre Tage in Gefangenschaft zu beenden.

◄ GEISELHAFT

Einige eingekerkte Geiseln hab[en] Berühmtheit erlangt, so zum Bei-spiel der englische König Richar[d] Löwenherz. Auf der Rückkehr vo[n] einem Kreuzzug wurde er gefang[en] genommen und saß jahrelang auf Burg Trifels in der Pfalz in Geise[l-]haft, bevor er 1194 gegen Zahlun[g] eines Lösegeldes freigelassen wu[rde.] Im Kerker der links abgebildeten Burg Chilon am Genfer See saß i[m] 16. Jh. ein Gefangener ein, über [den] der englische Dichter Lord Byro[n] ein berühmtes Gedicht verfasst h[at.]

EISENSCHELLEN

Gefangene, die als gefährlich galten, wurden an den Kerkerwänden angekettet. Dazu wurden Hand- oder Fußgelenke in Eisenschellen (links) eingeschlossen, die an einer in die Wand eingemauerten Kette hingen. Manchmal wurde zusätzlich auch der Hals in Ketten gelegt.

AM PRANGER ▼

Wer eine geringfügige Untat begangen hatte, wurde für eine bestimmte Zeit an den Pranger gestellt. Dazu wurden Hände und Füße zwischen zwei Balken gesteckt, die dann zusammengeklappt wurden. Die Opfer der Untat, aber auch Passanten, konnten den Täter beschimpfen, bespucken oder mit Dreck bewerfen, zum Beispiel den Händler, der falsch abgewogen, oder den Bäcker, der zu kleine Brote gebacken hatte.

▲ KERKERHAFT

Der kalte dunkle Kerker in der englischen Burg Warwick diente als Gefängnis für unbedeutende Leute, die auf ihr Gerichtsverfahren warteten. Vornehme Gefangene, für die Lösegeld verlangt werden konnte, hatten oben im Turm wesentlich bequemere Zellen.

DAUMENSCHRAUBEN ▶

Angeklagte oder Gefangene wurden oft durch Folter gezwungen, ein Verbrechen einzugestehen oder ein Geheimnis zu verraten. So wurden die Daumen des Gefangenen in die eiserne Daumenschraube eingepannt, und diese wurde dann allmählich zugeschraubt.
Wenn der Gefangene nicht nachgab, brach die Klammer ihm schließlich die Knochen. Manchmal gaben Menschen, weil sie die Schmerzen nicht mehr ertrugen, Verbrechen zu, die sie gar nicht begangen hatten.

STUMME ZEUGEN ▼

Kritzeleien an Türen oder Wänden zeugen mancherorts noch heute von den Gefangenen, die einst im Kerker einsaßen. Im Schloss von Loches (Frankreich) befindet sich eine Folterkammer und ein Kerker. Dort wurde im 16. Jh. der Herzog von Mailand gefangen gehalten. Er hat die Zellenwände mit Bildern bemalt. Im Tower von London haben über hundert Gefangene ihre Namen in die Kerkerwände geritzt.

Zeittafel

Die große Zeit der Burgen war das Mittelalter, die Zeit etwa zwischen dem Jahr 1000 und dem Jahr 1500. Diese Zeittafel berücksichtigt jedoch auch die Zeit davor und danach und enthält Informationen über Städte und Festungen, aus denen sich die mittelalterlichen Burgen entwickelten. Auch Erfindungen und Ereignisse, die die Bauweise der Burgen beeinflussten, werden hier aufgeführt.

7000 v. Chr.

7000 v. Chr. BEFESTIGTE STÄDTE mit Steinmauern entstehen, zum Beispiel Jericho.

1800 v. Chr. Die Hethiter, ein Reitervolk, beginnen mit dem Bau der STADT HATTUSCHA (in der heutigen Türkei).

1500 v. Chr. Bau des BEFESTIGTEN MYKENISCHEN PALASTS von Tiryns in Griechenland.

Tore von Hattuscha

1300 v. Chr. In MYKENE lebt die Herrscherfamilie in einem besonders befestigten Palast, einer Zitadelle.

701 v. Chr. Die ASSYRER setzen Belagerungstürme und Rammböcke ein, um die Stadt Lachisch im heutigen Westjordanland einzunehmen.

500 v. Chr.

500–400 v. Chr. DIE KELTEN errichten in Westeuropa befestigte Siedlungen, zum Beispiel Heuneburg an der Donau.

300 v. Chr.–70 n. Chr. In Britannien wird MAIDEN CASTLE errichtet; das Fort kann 5000 Bewohner unterbringen.

221–210 v. Chr. Kaiser Shi-Huang-Di ordnet den BAU DER CHINESISCHEN MAUER an. Millionen Menschen werden zur Arbeit gezwungen. Die Mauer soll auf 2450 km Länge China vor den Nomaden schützen.

35 v. Chr. König Herodes von Judäa baut die FESTUNG VON MASADA in den Bergen südlich von Jerusalem aus.

Befestigte Keltensiedlung

911

911 Dänische WIKINGER (Nordmannen) erhalten einen Teil Nordfrankreichs, der darauf Northmannia genannt wird (die heutige Normandie). Frühe NORMANNISCHE BEFESTIGUNGEN waren einfache Einfriedungen mit Torhäusern.

950 Der älteste bekannte einfache STEINTURM wird in Due-la-Fontaine an der Loire (Frankreich) errichtet.

950–1020 Adelige befestigen, mit oder ohne königliche Erlaubnis, ihre Häuser; es entstehen WOHN- UND WEHRTÜRME wie zum Beispiel in Loches (Frankreich).

998 BYZANTINISCHE BAUMEISTER schaffen in Antiochia eine Stadtbefestigung, die noch die späteren Kreuzfahrer vor große Probleme stellt.

Wikingerfestung

1000

1000 Japanische Ritter, SAMURAI genannt, erlangen die Kontrolle über große Teile des Landes.

1000 In Europa kommen TURNIERE auf, bei denen die Ritter ihre Kampfkraft erproben.

1050 Die NORMANNEN erobern von Nordfrankreich aus England und Süditalien, Schottland und Wales. Sie bauen Forts, die aus einem hölzernen Wehrturm auf einem Erdhügel (Motte) bestehen und einem Wirtschaftshof (Zwinger), der von Palisaden umgeben ist.

1066 WILHELM DER EROBERER nimmt England ein und errichtet Burgen, um die eroberten Landstriche zu halten.

1070 Burgen mit quadratischem BERGFRIED werden gebaut.

Fort mit Motte und Zwinger

1095

1095 PAPST URBAN ruft die Christen zum ERSTEN KREUZZUG ins Heilige Land auf.

1099 Nach langer Belagerung erobern die Kreuzfahrer JERUSALEM. Später werden sie viele Anregungen zur Bauweise und zur Anlage von Verteidigungseinrichtungen aus dem Nahen Osten mit nachhause nehmen.

1100 Die Normannen errichten immer mehr FORTS MIT MOTTE UND ZWINGER. Anstelle der früheren Holzpalisaden werden STEINMAUERN errichtet.

1100 In Deutschland werden erstmals HOHE SCHMALE BERGFRIEDE gebaut, oft auf Bergkuppen und Felsen.

1100 Bei Belagerungen wird zum ersten Mal der TRIBOCK eingesetzt.

1190

1190 Der DEUTSCHE ORDEN wird gegründet und baut Burgen in Syrien und Palästina. Aufgenommen werden ausschließlich deutsche Ritter.

1190 BURGEN MIT BARBAKANE (Vorburg) entstehen; Angriff und Verteidigung richten sich nicht mehr nur auf den Bergfried.

1200 Neben KETTENPANZERN kommen PLATTENPANZER als Rüstungen auf. Bei Turnieren verwendet man kurze Lanzen und stumpfe Schwerter.

1200 Es kommen GERUNDETE MAUERTÜRME auf und in den Niederlanden Burgen in Ziegelbauweise.

Ringburg mit runden Mauertürmen

1202

1202 PAPST INNOZENZ III. ruft den VIERTEN KREUZZUG aus.

1203 und 1204 Die Kreuzfahrer erobern und plündern KONSTANTINOPEL.

1212 Von Nord- und Westeuropa aus macht sich der KINDERKREUZZUG auf den Weg. Jerusalem, das Ziel, wird nie erreicht. Tausende von Mädchen und Jungen verhungern oder werden in Marseille verschifft und in Alexandria (Ägypten) als Sklaven verkauft.

1215

1215 Der englische König Johann Ohneland räumt aufständischen Baronen mehr Macht ein. In der MAGNA CHARTA werden die Lebensrechte genau festgelegt.

1220 Der STAUFERKÖNIG FRIEDRICH II. wird in Rom zum Kaiser des Heiligen Römischen Reiches gekrönt. Er ist gebildet und verfasst ein Buch über die Falkenjagd. In Deutschland und Italien lässt er zahlreiche Burgen bauen.

1228-1229 FÜNFTER KREUZZUG. Kaiser II. krönt sich zum König von Jerusalem.

Ritter

1346

1346 In der SCHLACHT VON CRECY sind englische Bogenschützen den französischen Rittern in ihren schweren Rüstungen überlegen.

1350 Die ersten FEUERWAFFEN kommen zum Einsatz, zumeist einfache Kanonen, bei denen das Pulver direkt ins Rohr gestopft wird.

1347–1351 Die PEST wütet in Europa. 25 Millionen Menschen sterben; das ist ein Drittel der Bevölkerung.

1348 KAISER KARL IV. gründet in Prag die erste deutsche Universität.

1350 TILL EULENSPIEGEL stirbt in Mölln.

Ritterturnier

1356

1356 Reiche Handelsstädte zumeist an der Nordseeküste schließen sich zur HANSE zusammen.

1400 Die Ritter fürchten sich angesichts der aufstrebenden Städte um ihre Rechte und schließen sich zu BÜNDEN zusammen. Turniere verlieren an Bedeutung.

1410 Bei TANNENBERG werden die Deutschordensritter in einer der größten Schlachten des Mittelalters von Polen und Litauen vernichtend geschlagen.

1418 CHÂTEAU GAILLARD in Frankreich wird 16 Monate lang von Engländern belagert. Schließlich ergeben sich die Belagerten wegen Wassermangels.

1429

1429 Das französische Bauernmädchen JEANNE D'ARC besiegt als Heerführerin bei Orleans die Engländer.

1438–1500 Die INKA-FESTUNG SACSAHUAMAN bei Cuzco (Peru) entsteht; die Mauern sind 18 Meter hoch und bestehen aus Steinquadern, die bis zu 200 Tonnen wiegen.

1445 Der Mainzer Johannes Gutenberg erfindet den BUCHDRUCK mit beweglichen Lettern.

Festung Sacsahu...

1476–1477 Die SCHLACHTEN UM BURGUND werden nicht von Rittern, sondern von Söldnern entschieden, die mit Spieß und Handfeuerwaffe kämpfen.

55 v. Chr.

55 v. Chr. Die RÖMER überschreiten den Rhein und erobern das Land an Rhein und Donau.

9 n. Chr. Im TEUTOBURGER WALD werden drei römische Legionen vernichtend geschlagen.

80 n. Chr. Die Römer befestigen die Grenze zu Germanien mit einem Schutzwall und Holzpalisaden, dem LIMES. Römische Legionslager entwickeln sich zu blühenden Städten. Das Nordtor der Stadtbefestigung von Trier, die PORTA NIGRA, ist das größte heute erhaltene Stadttor des Römischen Reiches.

117 n. Chr. Das RÖMISCHE REICH erreicht unter Kaiser Trajan seine größte Ausdehnung.

Römisches Fort

330 n. Chr.

330 Der römische Kaiser Konstantin ernennt die griechische Stadt Byzanz, die er in Konstantinopel umbenennt, zur neuen Hauptstadt des Römischen Reiches. Dies ist der Beginn des BYZANTINISCHEN REICHES, das bis 1453 bestehen wird.

350 Das KATAPULT wird erfunden.

412 Kaiser Theodosius II. lässt rund um KONSTANTINOPEL Mauern errichten.

476 Untergang des WESTRÖMISCHEN REICHES.

6. Jh. Erfindung der STEIGBÜGEL in China; um 700 werden sie in Europa eingeführt. Die Reiter sitzen nun fester im Sattel.

674

674–678 ARABER BELAGERN KONSTANTINOPEL an Land und zur See, können die Stadt aber nicht einnehmen.

768–814 Kaiser KARL DER GROSSE regiert das Frankenreich. Er hat keine feste Hauptstadt, sondern zieht mit seinem Hof von einem befestigten Wohnsitz (Pfalz) zum nächsten. Eine Pfalz umfasst einen Torbau, mehrere Saalbauten und eine Kapelle.

Feudalgesellschaft

800 Der FEUDALISMUS entwickelt sich in Europa. Reiche Landbesitzer geben adligen Gefolgsleuten einen Teil ihres Landes als Lehen. Die Untertanen sind dem Lehensherrn zu Abgaben sowie Beistand und Treue verpflichtet.

1113

1113 Aus dem Hospital für Pilger und Kranke in Jerusalem geht der JOHANNITERORDEN hervor. Die Ritter stammen aus allen Ländern Europas und sind allein dem Papst verantwortlich. Später werden sie sich auf Malta niederlassen und sich Malteser nennen. Ihre Tracht zeigt ein großes Kreuz.

1119 Gründung des Ordens der TEMPELHERREN, eines weiteren Ritterordens, der die christlichen Pilger im Heiligen Land beschützen will.

1130 PAPST INNOZENZ II. verbietet Turniere, weil er nicht duldet, dass Ritter zum Vergnügen kämpfen.

Johanniter

1140

1140 Die KREUZRITTER erbauen im östlichen Mittelmeerraum Burgen, um die Pilgerstraßen ins Heilige Land zu schützen, später um Grenzen und Häfen zu überwachen. Die Anlagen sind meist rechteckig, mit einem Turm an jeder Ecke.

1142 KRAK DES CHEVALIERS in Syrien wird von Kreuzrittern erobert. Sie bauen die Burg zu einer mächtigen Festung aus.

1146 BERNHARD VON CLAIRVAUX ruft zum ZWEITEN KREUZZUG auf.

1147–1149 Der zweite Kreuzzug endet mit der NIEDERLAGE DER CHRISTLICHEN EROBERER. Viele Kreuzfahrer finden den Tod.

Krak des Chevaliers

1160

1160–1170 Der Kaiser des Heiligen Römischen Reiches, FRIEDRICH I. BARBAROSSA, errichtet in Bad Wimpfen am Neckar eine Wohnburg. Sie ist mit 215 m Länge und 88 m Breite die größte Stauferpfalz auf deutschem Boden.

1187 SALADIN, Sultan von Ägypten, erobert die Kreuzfahrerstaaten und Jerusalem.

1189 Unter Führung der Könige von England und Frankreich und des Kaisers Friedrich I. Barbarossa macht sich der DRITTE KREUZZUG auf den Weg. Dabei ertrinkt Barbarossa. Es gelingt nicht, Jerusalem einzunehmen. Richard I. von England schließt mit Saladin Waffenstillstand.

Buntglasfenster im gotischen Stil

1235

1235 In WORMS, das unter den Staufern seine Blütezeit erlebt, heiratet Kaiser Friedrich II. seine dritte Frau, Isabella von England.

1244 JERUSALEM fällt in die Hand der Türken.

1248–1254 Erfolgloser SIEBTER KREUZZUG, vom französischen König Ludwig IX. dem Heiligen nach Ägypten geführt.

1260 Spanischen Ritterorden gelingt es, das Land endgültig von der ARABISCHEN HERRSCHAFT zu befreien.

1267 Eduard I. von England erlässt ein Gesetz zur BESCHRÄNKUNG VON TURNIEREN, weil es dabei immer wieder zu schweren Zusammenstößen kommt.

El Réal de Manzanares (nahe Madrid)

1271

1271 KRAK DES CHEVALIERS wird von den Mamelucken erobert.

Turnierpferd

1272 Der DEUTSCHE ORDEN, der sich aus dem Heiligen Land zurückgezogen hat, lässt sich an der Ostseeküste nieder, um die heidnischen Pruzzen zu unterwerfen. An der Weichsel errichtet er die MARIENBURG.

1249–1368 Die Mongolen unter KUBLAI KHAN erobern China.

1291 Im Heiligen Land wird Akkon, das letzte christliche Bollwerk, von den Mamelucken eingenommen. Das ist das ENDE DER KREUZZÜGE.

1300

1300 TURNIERREGELN legen fest, dass der Sieger in freundschaftlichem Wettkampf ermittelt werden soll.

Kanone

1304 Technisch verbesserte BELAGERUNGSMASCHINEN werden eingesetzt.

1330 RÜSTUNGEN aus Panzerplatten finden Verbreitung.

1333–1345 Die FESTE MARIENBURG (Würzburg) wird durch Ringmauern und Rundtürme verstärkt.

1337–1453 HUNDERTJÄHRIGER KRIEG zwischen Frankreich und England. Es werden zahlreiche Burgen gebaut.

Brustharnisch

1493

1493 KOLUMBUS entdeckt Amerika.

1512 Der vom Papst geächtete MARTIN LUTHER lebt unter dem Namen Junker Jörg auf der Wartburg, wo er die Bibel ins Deutsche übersetzt.

1518–1527 In Frankreich wird das Schloss AZAY-LE-RIDEAU erbaut. Es bekommt große Fenster, bequeme Räume und ist nicht nennenswert befestigt.

1550 Viele nutzlos gewordene BURGEN werden aufgegeben. Manche werden zu bequemen Wohnsitzen umgebaut, andere zu Gefängnissen.

1570

1570 In JAPAN beginnt das Zeitalter des Burgenbaus.

1576 Oda Nobunga, ein japanischer Kriegsherr, baut in AZUCHI einen befestigten Palast mit siebenstöckigem Turm, Motte und Steinmauer.

1578 In OSAKA entsteht ein befestigter Palast.

1603 BURG NIJO wird in Japan über einem Gerüst aus massiven Holzbalken erbaut.

1615 TOKUGAWA IEYASU verbietet in Japan den Bau von Burgen, denn „hohe Mauern und tiefe Gräben sind, wenn sie anderen gehören, Ursache großer Unruhen."

Burg Himeji

1621

1621 In England wird das LETZTE RITTERTURNIER im alten Stil abgehalten.

1798 BESIEGTE RITTER vom Malteserorden treten Malta an Napoleon ab.

1869–1886 König Ludwig II. von Bayern lässt SCHLOSS NEUSCHWANSTEIN bauen.

1971 Die WALT DISNEY COMPANY lässt in einem Vergnügungspark ein Märchenschloss nach dem Vorbild Neuschwanstein errichten.

Worterklärungen

Armbrust
Schusswaffe, die aus einem Schaft und einer Sehne besteht und mit einer Kurbel gespannt wird.

Balliste
Große Armbrust auf Rädern.

Barbakane
Befestigte Vorburg, von der aus Torhaus und Zugbrücke bewacht und verteidigt werden.

Barde
Sänger und Dichter, der von Burg zu Burg reist und für Unterhaltung sorgt.

Bergfried
Großer und geräumiger Hauptturm einer Burg.

Brünne
Langes Kettenhemd, das aus vielen tausend miteinander verbundenen Gliedern besteht und vor Verletzungen schützen soll.

Buhurt
Turnierübung. Scheingefecht, bei dem Reitergruppen mit stumpfen Waffen ihre Geschicklichkeit erproben.

Ebenhöhe
Hölzerner Belagerungsturm auf Rädern, häufig mit einer Zugbrücke.

Fallgatter
Gitter aus Holz oder Eisen, mit dem ein Burgtor gesichert wird.

feilbieten
Zum Verkauf anbieten.

Feudalismus
Gesellschaftsordnung im Mittelalter. Reiche Grundherren geben adligen Gefolgsleuten (Vasallen) einen Teil ihres Landes als Lehen. Die Vasallen sind dem Lehnsherrn zu Abgaben und Kriegsdiensten verpflichtet.

Flaschenzug
Vorrichtung aus Rollen und Seilen zum Heben von schweren Lasten.

Fort
Befestigtes Gebäude, das vor allem der Verteidigung dient.

Frondienste
Arbeit, die für den Lehnsherrn geleistet werden muss.

Gießloch
Öffnung im Torgewölbe, durch das Feinde begossen oder beworfen werden.

Harnisch
Aus Eisenplatten bestehende Ritterrüstung. Die Pferderüstung nennt man Rossharnisch.

Haymlich Gemach
Erker mit einem Schacht, der als Toilette dient.

Heerfolge
Kriegsdienste, die für den Lehnsherrn geleistet werden müssen.

Hellebarde
Hiebwaffe. Lange Stange mit einer axtförmigen Klinge.

Helmzier
Stoffstück oder Federbusch am Helm als Erkennungszeichen der Ritter im Turnier und im Kampf.

Hennin
Hoher spitzer Damenhut, oft mit Schleier.

Heraldik
Wappenkunde. Deutung der Wappenzeichen auf Banner, Rüstungen, Schildern.

Herold
Wappenkundiger Ausrufer, der bei einem Turnier die antretenden Ritter vorstellt.

Illuminieren
Den handgeschriebenen Text eines Buches mit farbenprächtigen Bildern verzieren.

Kemenate
Frauengemach. Oft der einzige beheizbare Raum einer Burg.

Knappe
Junger Mann, der einem Ritter dient und sich darauf vorbereitet, selbst Ritter zu werden.

Kreuzzüge
Religiös begründete Kriege, in denen europäische Christen mit islamischen Herrschern um die Macht im Heiligen Land kämpfen (heutiges Israel, Jordanien und Syrien).

Landsknecht
Zu Fuß kämpfender Krieger, der gegen Bezahlung für einen Landesherrn in die Schlacht zieht.

Lehen
Land, das der Grundherr einem Gefolgsmann zur Verfügung stellt („leihen").

Mamelucken
Islamische Söldner und Machthaber.

Manuskript
Von Hand geschriebenes Buch.

Morgenstern
Schleuderwaffe. Stachelbewehrte Eisenkugel an einer Kette.

Motte
Künstlich aufgeworfener Erdhügel mit einem hölzernen Fort.

Naturalien
Abgaben an den Lehnsherrn in Form von Feldfrüchten oder Arbeit.

Page
Junge im Alter zwischen sieben und vierzehn Jahren, der am Hofe eines Adeligen die Grundregeln des Ritterdienstes erlernt.

Palisade
Befestigung aus Holzpfählen, die dicht nebeneinander in die Erde gerammt werden.

Pavese
Großer gebogener Schild.

Pechnasen
Kleine Vorsprünge im Mauerwerk, durch die zum Beispiel siedende Flüssigkeiten auf unten stehende Feinde gegossen werden.

Petarde
Vorform der Granate. Mit Schießpulver gefülltes Eisengefäß, das gezündet und Richtung Feind geworfen wird. Schwere Petarden werden auf Rollbrettern montiert.

Pfalz
In Frankenreich und im Deutschen Reich befestigter Wohnsitz des Königs. Sie dienen dem König bei seinen Reisen als Unterkunft.

Pranger
Schandpfahl oder Holzgerüst, an dem Verbrecher zur Schau gestellt werden.

Rammbock
Baumstamm oder Balken mit metallverstärkter Spitze, um Burgtore oder Mauern einzurennen.

Reliquien
Überreste, Kleidung oder Gegenstände von Heiligen, zum Beispiel Knochen, die verheiligt werden.

Ritterschlag
Zeremonie, bei der ein König oder Fürst einen Adligen, meist durch Berührung mit einem Schwert, zum Ritter erhebt.

Rüstlöcher
Öffnungen in Burgmauern, in die tragende Balken eingefügt werden.

Sarazenen
Arabischer Volksstamm im Heiligen Land.

Schabracke
Prunkvolle Pferdedecke, über oder unter dem Sattel.

Schanzkleid
Aufbau aus Holz, der im Kriegsfall über den Wehrgängen errichtet wird, um den Schützen bessere Deckung zu geben.

Schießscharte
Schmale Öffnung in der Burgmauer, um herannahende Feinde mit Bogen und Armbrust zu beschießen.

Skriptorium
Klosterschreibstube, in der Mönche mit dem Schreiben und kunstvollen Verzieren von Büchern beschäftigt sind.

Sporen
Metallstifte am Stiefel, mit denen der Reiter dem Pferd Anweisungen gibt.

Stechpuppe
Übungsgerät für Ritter.

Surkot
Ärmellose Waffenschürze aus Stoff. Sie wird über der Rüstung getragen, um in der Sonne das Aufheizen des Metalls zu verhindern.

Tabernakel
Gehäuse oder Schrank in einer Kirche zur Aufbewahrung heiliger Gegenstände.

Tjost
Gestech, Turnierübung, bei der zwei Ritter versuchen, sich über eine Barriere hinweg mit einer stumpfen Lanze aus dem Sattel zu stoßen.

Torhaus
Befestigtes Gebäude am Eingang einer Burg.

Tretmühle
Kraftmaschine. Großes Rad, in dem ein Mensch läuft wie ein Hamster, um Kraft zu erzeugen.

Tribock
Großes Katapult, mit dem Felsbrocken und andere große Gegenstände geschleudert werden.

Tross
Lehnsherr oder Kriegsherr, der mit seinen Gefolgsleuten und mit Verpflegung, Ausrüstung und Gepäck unterwegs ist.

Troubadour
Dichter und Sänger vornehmer Herkunft.

Turnier
Ritterliches Kampfspiel. Dabei erproben die Ritter in Zweikämpfen zu Pferd (Tjost) oder Gruppenkämpfen (Buhurt) ihre Geschicklichkeit.

Vasall
Lehnsmann.

Visier
Beweglicher Sichtschutz am Helm.

Zofe
Vornehmes Mädchen, das bei einer Burggräfin die Pflichten einer adeligen Dame kennen lernt, bis es mit etwa 14 Jahren standesgemäß verheiratet wird.

Zunft
Zusammenschluss von Handwerkern mit dem Ziel, Preis und Qualität der hergestellten Waren zu kontrollieren.

Zwinger
Befestigter Vorhof einer Burg.

Stichwortverzeichnis